Paola Mastrocola

CHE ANIMALE SEI?
Storia di una pennuta

Disegni di Franco Matticchio

UGO GUANDA EDITORE
IN PARMA

A mio figlio,
che a quattro anni mi chiese:
ma un gatto lo sa di essere un gatto?

1

AL CALDO DI UNA PANTOFOLA DI PELO

E ra la notte di Natale e sulla strada che portava al paese c'era un camion che andava molto forte.

Quel camion andava così forte perché lo guidava Jack il Camionista, che quel mattino aveva giurato a sua moglie: va bene cara, arriverò per le otto in punto.

Le aveva giurato così, perché quella era la sera di Natale e alla sera di Natale tutti gli anni Jack doveva andare al cenone di sua suocera e guai se arrivavano dopo le otto, perché sua suocera ogni anno a Natale faceva i cappelletti ripieni e, se i cappelletti scuociono, tutto il ripieno si spappola nel brodo e non va bene.

Ecco perché quel camion andava così veloce: perché era Natale e i cappelletti della suocera di Jack non si dovevano spappolare dentro il brodo.

Così il camion sbandò. Era all'ultima curva e ce l'aveva quasi fatta ad arrivare per le otto, e invece proprio all'ultima curva sbandò.

Tutto quel che trasportava fu sbalzato fuori: palline di Natale, pacchetti, barattoli di fichi, peperoni sott'olio, champagne. Siccome la strada per giunta era in discesa, le cose se ne andavano a folle velocità e sembrava che non si sarebbero fermate mai più.

Anche lei cadde. Cadde dal camion e cominciò a rotolare.

Non si sa perché si trovasse su quel camion, visto che non faceva parte di nessuna cassetta dono di Natale. Ma si trovava proprio su quel camion e quindi, quando sbandò, lei cadde come tutte le altre cose che stavano su quel camion. E prese a rotolare come una palla portata dal vento, poiché non solo quella strada era in discesa, ma quella notte era anche una notte di vento.

Il fatto grave è che lei era appena nata.

Nessuna delle cose che stavano su quel camion era appena nata, ma lei sì.

Probabilmente era nata nel momento esatto in cui il camion prese male la curva; oppure fu la caduta stessa a farla nascere. Non si sa. Resta il fatto che lei nacque in curva. E nascere in curva, cioè sbandando a una curva la notte di Natale, non è il massimo.

A un certo punto però qualcosa la fermò: era un bidone della spazzatura.

Meno male, perché stava rischiando di fracassarsi le ossa prima ancora di cominciare a vivere. Il bidone era brutto e maleodorante, ma lei non se ne accorse; non sapeva nemmeno, essendo appena nata, che quello fosse un bidone.

Faceva freddissimo. Ma lei ebbe una seconda fortuna: finì esattamente dentro una pantofola di pelo che si trovava per caso lì per terra, accanto al bidone. Era grigia e a forma di topo, ma lei non lo sapeva dentro cosa era finita. Non sapeva nemmeno che esistessero le pantofole e a che cosa servissero. Sentiva solo che lì era caldo e buono, e vi si accoccolò.

Non capita a tutti, nascendo, di andare a finire esattamente dentro una pantofola, ma a lei capitò.

E dormì un gran tempo dentro quella pantofola, sognando di non essere ancora nata.

Quando si svegliò, non era più la notte di Natale ma faceva ancora molto freddo. Dal bidone colavano certi succhi un po' appiccicosi, che le finivano, guarda un po', giusto in bocca. Così si nutrì per giorni e giorni, senza che nessuno la nutrisse.

Quando fu abbastanza cresciuta, uscì dalla pantofola. Le si mise ben bene davanti e per la prima volta la guardò; vide le grandi orecchie da topo, i baffi lunghi e gli occhi di vetro luccicanti. Essendo la prima cosa che vedeva, quella pantofola diventò sua madre. La abbracciò, schioccandole un grosso bacio sul muso, e le disse:

«Ti voglio bene, mamma.»

9

2

O SI PENSA O SI ROSICCHIA

T rascorreva le giornate molto semplicemente: un po' stava dentro la pantofola a poltrire, e un po' saltava fuori e razzolava lì intorno. Ogni giorno si spingeva più lontano, per conoscere meglio il mondo, ma non perdeva mai d'occhio la sua mamma e la notte vi si rannicchiava a palla, nel caldo del pelo.

Era molto contenta di avere una mamma così; a volte giocava a nascondersi dietro le sue orecchie da topo, come se fossero due tende; a volte invece, siccome aveva trovato un pettinino rotto accanto al bidone, giocava a pettinare il pelo di sua madre, avanti e indietro. Nessuno pettina il pelo alla propria madre, ma lei l'aveva visto fare a un signore, che in realtà stava togliendo le pulci al suo cane.

A forza di andare per il mondo però, si accorse di una cosa atroce: che le altre mamme portavano a spasso i loro bambini, e che lei invece aveva una mamma che non la portava affatto a passeggio. Lei aveva una madre statica.

Questo la disturbava molto, e cominciò a pensare che non la voleva una madre così. Non le andava di starsene sempre lì da sola, a girellare per conto suo intorno alla pantofola. Non sono i figli che devono girellare intorno ai genitori, sono i genitori che devono portare i figli a girellare, pensava.

Il guaio le pareva irrisolvibile.

Ma glielo risolse un tale che un giorno per caso si trovava a passare di lì.

Questo tale era un giovane castoro. Vicino al paese infatti c'era un grande lago, e sul lago viveva la Comunità dei Castori.

Era una comunità molto attiva, i cui membri erano tutti ingegneri e non facevano altro che costruire. Tutto, ai bordi del lago e anche un po' dentro l'acqua verso riva, era un cantiere perpetuo: assi, mattoni, puntelli e martelli compressori, e sempre un gran viavai di persone, cioè di castori vestiti con la tuta da ingegnere e una torcia elettrica piantata sulla fronte. Già, perché lavoravano anche di notte: infatti, a guardare il lago di notte dalla strada, si vedevano infiniti lumini muoversi avanti e indietro come matti, e qualcuno diceva: «sono le lucciole», qualcun altro diceva: «ma quali lucciole se è inverno? chiaro che sono le anime dei morti». Invece non si trattava né di lucciole né di morti: erano castori vestiti da ingegneri notturni.

Costruivano perlopiù dighe. Una diga dopo l'altra. Si può dire che il mondo per loro era un mondo di dighe.

Il giovane castoro la vide che se ne stava tutta imbronciata all'ombra del bidone. Le si presentò molto educatamente, tendendole la mano:

«Piacere, George.»

E subito le chiese:

«Qualcosa non va?»

«Sì, non vedi? Ho una madre che non mi porta a passeggio!»

«E perché non ti porta a passeggio?»

«Perché non si muove, non vedi?»

Il castoro si guardò intorno.

«E dove sarebbe tua madre?»

«È qui, non la vedi?»

George si guardò ancora intorno.

«Vedo solo una pantofola.»

«Una... cosa?»

«Una pantofola.»

Ci misero un po' a capirsi, perché a volte non basta parlarsi per capirsi. Lei, ad esempio, ci mise un bel po' a capire che lui chiamava pantofola sua madre, e lui ci mise ancor di più a capire che lei pensava che quella pantofola fosse sua madre.

Anzi, veramente all'inizio George non ci capì proprio niente. Si fermò, smise di parlare e decise che ci

15

voleva tempo. Si sedette anche lui accanto al bidone e cominciò a pensare.

George era infatti un giovane castoro a cui piaceva molto pensare. Non era un castoro come gli altri: non gli piaceva per niente rosicchiar legna. Da grande infatti non voleva fare l'ingegnere: era l'unico castoro che non voleva fare l'ingegnere, e ormai costituiva « il caso grave » della comunità.

Bisogna sapere che tutti i castori vogliono fare l'ingegnere. Anzi, diciamo che chi nasce castoro è già automaticamente ingegnere, quel che si dice « un ingegnere nato » (ci sono cose molto automatiche, nella vita).

Il padre di George, il vecchio ingegner Reginald Castor, era anche il Castoro Anziano ovvero il capo di tutti i castori, e si era fatto ormai tutto bianco di pelo a furia di angustiarsi per questo suo figliolo. Era rimasto vedovo e da anni l'educazione di George pesava tutta su di lui. Pesava tanto che se ne andava sempre più gobbo in giro per le dighe, gobbo e bianco. Era l'unico castoro bianco. E la sera, quando raggiungeva i colleghi all'osteria, invece di giocare a carte si sedeva in disparte e, tutto gobbo e bianco com'era, ripeteva:

« Perché proprio a me, perché proprio a me... »

Qualche volta finiva anche la frase:

« ... doveva toccarmi un castoro così! »

Che cosa volesse dire, lo capivano tutti. Non che fosse cattivo quel figlio, era solo maledettamente testardo. S'era messo in mente che lui nella vita voleva

16

solo pensare e aveva deciso che sarebbe andato a studiare Filosofia all'Università di Oxford.

«A Oxford?»

Tutti a spiegargli che poteva pensare benissimo anche standosene a casa sua sul lago a rosicchiar legna da bravo ingegnere, e che non era per niente il caso di andare a finire filosofo a Oxford.

Ma lui diceva che nella vita o si pensa o si rosicchia, e non è per niente la stessa cosa.

I castori della Comunità dei Castori ritenevano, in cuor loro, che il povero Reginald Castor avesse semplicemente un bel fannullone di figlio! Ma si rigiravano questo pensiero solamente in cuor loro, appunto; e al povero Reginald Castor non dicevano un bel niente, perché cosa vuoi mai dire a un povero padre che ha un figlio fannullone?

Così George quel giorno, seduto accanto al bidone, pensò a lungo com'era mai possibile che qualcuno si credesse figlio di una pantofola. E dopo aver a lungo pensato senza trovare alcuna spiegazione, fece come si fa quando appunto non si riesce a trovare alcuna spiegazione o soluzione a un problema: cercò di approfondire il problema. Cioè le chiese:

«Ma tu, esattamente, che animale sei?»

«Una pantofola!» rispose lei senza esitazione.

Ecco qual era il punto! Bisogna sempre approfondire il problema per giungere al punto. E qui il punto riportava esattamente al problema: il problema della pantofola.

«Una pantofola?» ripeté George nel pallone più totale, cioè immerso sempre più nei pensieri.

«Sì, me l'hai detto tu che mia madre è una pantofola...»

George sentì nuovamente il bisogno di pensare. Pensò a lungo e alla fine, siccome era un bravo pensatore, arrivò a capire una grande verità. E cioè che, quando uno nasce, non sa chi è.

Certo, come fai a sapere chi sei? Ci vuole qualcuno che te lo dica. E se nessuno te lo dice, tu non puoi sapere chi sei, giusto? Giusto.

Arrivato a questa profonda verità, si sentì meglio. E continuò a sprofondare nei suoi pensieri. Lui ad esempio, pensò, sapeva benissimo di essere un castoro perché suo padre glielo andava ripetendo tutti i giorni: ricordati George che tu sei un castoro! Quando hai un padre così, che ogni giorno sente il bisogno urgente di dirti chi sei, alla fine te lo appiccichi in testa eccome chi sei, non ti va via mai più. Ma lei, la sua povera amica? Chi glielo dice che lei non è una pantofola, visto che le pantofole non parlano? E se nessuno glielo dice, lei crederà di essere una pantofola perché, se sua madre è una pantofola e i figli assomigliano alle madri, allora lei non può che essere una pantofola.

Quando faceva questi ragionamenti logici così... logici, si sentiva meravigliosamente bene. Ne traeva un vero e proprio benessere mentale, fatto di fierezza e autocompiacimento: si compiaceva di saper pensare così. Gli venne però anche una gran tenerezza per la sua nuova amica che si credeva una pantofola, e una gran voglia di portarla con sé al paese dei castori. Sì, l'avrebbe portata con sé.

Doveva soltanto risolverle il guaio della mamma statica. Se no lei non sarebbe mai venuta via, visto che una madre non si abbandona mai. Così pensava George. E gli era sceso sul muso, a questa ennesima grande verità, un velo di tristezza. Si trattava di rendere mobile una pantofola immobile. Che fare?

Essendo un castoro, possedeva un'innata sapienza ingegneristica, quindi gli venne un'idea geniale. Sarebbe stato un ottimo ingegnere, se solo avesse voluto esserlo...

Andò a prendere l'enorme valigia piena di arnesi, di cui ogni castoro è dotato fin dalla nascita: chiodi, martelli, cacciaviti, tenaglie, trapani, trivelle, viti e bulloni. Poi sparì nel bosco tutto il giorno a rosicchiar legna e se ne tornò la sera trasportando un'asse ben limata piatta, e quattro cerchi perfettamente tondi. Lavorò tutta la notte con i denti e gli arnesi e al mattino l'opera era pronta: semplice, aveva costruito un meraviglioso carretto, aveva messo le ruote alla pantofola!

Le attaccò anche un cordino sul davanti, di cui consegnò l'altra estremità alla sua amica dicendole:

«Bene, adesso puoi andare dove vuoi con la tua mamma!»

Lei era pazza di felicità. Prese il cordino e cominciò a trainare sua madre su e giù per la strada, in salita e in discesa, facendole fare le corse pazze e gli zig-zag, strattonandola in ardite impennate e facendola girare in tondo come una trottola. Pazza di felicità...

19

Anche se, a ben vedere, non era sua madre a portare a spasso lei... era lei che portava a spasso sua
madre!

Ma come dirlo a George, che aveva lavorato tutto
un giorno e una notte? E poi, pensandoci bene: a lei
sarebbe piaciuto avere un cordino, con il quale essere
tirata? No, quindi era meglio che ce lo avesse sua
madre il cordino. Infine: è davvero importante chi tira
chi?

Il giovane castoro George la invitò quindi ufficial-
mente a seguirlo e ad avviarsi con lui alla Comunità
dei Castori. Lei si sistemò dentro la sua mamma pantofola, e lui si mise a trainare il carretto.

Quel che i castori videro arrivare da lontano era
un'immagine piuttosto complessa e parecchio confusa: un castoro galoppante a tutta velocità, che si tirava
appresso una specie di topo finto con le ruote, con
dentro qualcuno di scomposto e spennacchiato che si
teneva ai baffi del topo come fossero redini.

Una cosa che, per chi ha studiato storia sui libri
illustrati, assomigliava molto alla biga degli antichi
Romani.

CAPITOLO TERZO

L a accolse il padre di George, l'ingegner Reginald Castor in persona, che, in qualità di Castoro Anziano, aveva il compito dell'accoglienza stranieri.

La accolse nel grande anfiteatro antico, un rudere sulla collina di cui i castori avevano fatto la loro base di rappresentanza. Tutta la comunità era presente. Tutti belli seduti e attenti sui gradini, o meglio, su quel che restava dei gradini smangiucchiati dal Tempo. E con la voce che, molto teatralmente, rimbombava il Castoro Anziano le chiese:

«Che animale sei?» scrutandola da vicino con una sua potente lente.

Un grande silenzio denso di attesa aleggiava nell'aria.

«Una pantofola!» rispose lei senza esitazione, con la sua vocetta un po' stridula.

«Uhmm...»

L'intero anfiteatro dei castori scoppiò in un universale:

«Uhmm...»

L'ingegner Reginald Castor era molto anziano, quindi ne aveva viste di tutti i colori. Ma qualcuno che dicesse di essere una pantofola, no, mai visto. Si grattò nervosamente la piatta coda, e disse:

«Però hai le piume... come fai a essere una pantofola se hai le piume? Chi ha le piume, è un pennuto. Dunque, cara pennuta...»

Era la prima volta che qualcuno la chiamava con un nome. Ma a lei non piacque molto il nome «pennuta». Soprattutto non ne sapeva niente di piume, e chiese se per piacere qualcuno le spiegava cos'erano le piume e dove le avesse.

Nell'anfiteatro serpeggiò un riso sommesso, sibilante tra i denti sporgenti di tutti i castori lì riuniti.

Reginald Castor, preso alla sprovvista, non seppe trovare una definizione della parola «piume». In effetti, come ben dicono coloro che di mestiere fanno i definitori di parole, l'impresa più difficile al mondo è definire le parole, soprattutto quelle che designano le cose che hai sempre sott'occhio: sembra che la parola definisca già di per sé la cosa; certo, ma come definire la parola che definisce la cosa?

Allora, nel dubbio, l'ingegner Castor le strappò

22

una piuma dal petto. Lei fece: ahi! e capì all'istante cos'erano le piume. Si sentì anche molto felice, perché è molto bello quando qualcuno ci dice qualcosa di noi e di come siamo: ci sentiamo subito meglio, ci sentiamo, come dire, più... definiti, e quindi meno soli!

Lei ora sapeva di avere le piume, ed era molto meglio che non saperlo.

Le rimaneva da capire perché, avendo le piume, non potesse essere una pantofola. Giusto, di per sé l'obiezione di Reginald non aveva senso: è come se uno, avendo i baffi, non potesse essere un pesce. Ci sono pesci senza baffi e pesci con i baffi, che discorsi!

Ma Reginald Castor era passato a un altro argomento, e lei non voleva annoiarlo con i suoi problemi di piume o non piume.

« Lavorerai con noi » le disse, « vedrai che ti farà un gran bene. »

Un fragoroso applauso fece quasi crollare l'anfiteatro, cioè i resti dell'anfiteatro. Nella Comunità dei Castori infatti tutti pensavano che il lavoro facesse sempre un gran bene.

Gli addetti le consegnarono subito le chiavi di una buona grotta in cui dormire, e il set completo da castoro: tuta di tela blu, stivali anfibi, grossa cinta con ganci a cui appendere corde, ramponi, seghetti, e per finire la torcia da applicare sulla fronte.

« Così sarai uno dei nostri » le dissero.

All'alba del giorno dopo, la caricarono sul bus che portava tutti al lavoro. Lei ci salì, trascinandosi ap-

23

presso la sua mamma pantofola con le ruote, perché mai l'avrebbe lasciata sola.

Le assegnarono un bel pezzo di lago e le dissero che poteva anche lei costruire la sua diga.

Da quel giorno si sentì un vero castoro. E smise di dire che era una pantofola.

CAPITOLO QUARTO

I l tempo trascorreva felice alla Comunità dei Castori.

Lei andava ogni giorno al lavoro, partendo all'alba sul bus pieno zeppo di castori. Aveva imparato a rosicchiare la legna, pur non avendo i denti; e a scavare gallerie, pur non avendo unghioni né zampe robuste.

Le zampe a dire il vero diventarono un po' il suo problema, intanto perché ne aveva solo due, mentre i suoi amici ne avevano tutti quattro. Seconda cosa, aveva due zampe veramente irrisorie, esili come grissini e deboli come fuscelli al vento. Inoltre terminavano in una specie di ventaglio che le fungeva da piedi, ma un ventaglio di pelle leggera, trasparente, che sembrava un foglio di carta velina.

Ciò nonostante non si perse d'animo e imparò a scavare dentro la terra, come poteva. In realtà all'inizio era una vera frana. Proprio nel senso letterale del termine: più che scavare, lei zampettava sulla superficie franosa del terreno finché produceva delle vere... frane!

George che, rifiutandosi di fare l'ingegnere, non lavorava, rimaneva tutto il giorno inerte sui bordi del lago a osservarla e a pensarla.

«Ti penso molto!» le diceva da lontano, e lei arrossiva di felicità.

La osservava lavorare e, più la osservava, più la pensava. E più la pensava, più gli veniva di osservarla. E lei, più si sentiva osservata, più ci dava dentro a scavare. E più scavava, più scatenava frane.

Insomma, la cosa stava diventando piuttosto preoccupante e franosa. George cominciò a pensare che urgeva una soluzione al problema.

Pensò a lungo, finché, come sempre, gli venne un'idea. In una delle pause caffè, le si avvicinò e le spiegò che lei non aveva le zampe adatte a scavare, era evidente; e quindi, se voleva continuare a scavare la terra con quelle sue zampe a ventaglio, doveva provare a pensare ad altro.

«Ad altro cosa?» chiese lei stupita.

Doveva pensare che non stava scavando, ma non lo so, per esempio... nuotando! Ecco, doveva pensare che stava nuotando!

Come gli venne un pensiero così non si sa, perché

poi i pensieri non si sa mai come vengono. Vengono e basta, e uno deve solo esser pronto a riceverli. George Castor era particolarmente bravo a ricevere i pensieri che gli venivano, aveva elaborato una specie di strategia del Ricevimento Pensieri, che gli funzionava benissimo. Non per nulla era un grande pensatore e voleva andare a Oxford.

In quanto a lei, inizialmente si chiese come potesse mai pensare di nuotare nella terra, e non nell'acqua dove effettivamente si nuota. Ma fu un pensiero solo iniziale, poi le passò. Perché i pensieri, così come vengono, passano anche.

Provò a fare come le diceva George e... funzionava! Pensando di nuotare, imparò a scavare benissimo: faceva andare le due zampe come mulinelli veloci, e la terra le passava tra le dita come... acqua!

Un vero miracolo del pensiero. Evidentemente, ne dedusse lei, per fare bene una cosa bisogna pensare di farne un'altra.

« Grazie! » gli disse.

« Non c'è di che » rispose lui.

In realtà non era così vero che lei riuscisse a scavare, diciamo che zampettava sul terreno e, a forza di far vento con le zampe, qualche centimetro di terra lo spostava. Ma andava bene così: lei era molto convinta di scavare, lui era fiero di lei, e i castori non si preoccupavano per niente di verificare quanto lei lavorasse, perché erano troppo impegnati a lavorare loro. Tiravano giù alberi su alberi, li segavano con i denti e li trasportavano dentro il lago, disponendoli a forma di diga; non stavano fermi un minuto, figurarsi se avevano il tempo di guardare cosa faceva o non faceva l'ultima arrivata!

« A cosa servono tutte queste dighe? » chiese lei un giorno al vecchio Reginald Castor, il quale fece un balzo all'indietro dall'indignazione, che per poco non cadeva nel lago.

Un altro giorno di nuovo si avvicinò al vecchio Castor e gli chiese, preoccupata:

« Perché segate tutti gli alberi? E se poi gli alberi finiscono? »

Altro balzo all'indietro, altra quasi caduta nel lago.

Non voleva irritare il vecchio Castor, e non capiva perché si arrabbiasse così tanto. Era solo che lei trovava molto stupido segare alberi per costruire una cosa che non si capiva a cosa servisse, e non le piaceva per niente un mondo pieno di dighe, ma senza alberi; preferiva un mondo pieno di alberi e senza dighe. Non capiva perché non si lasciava il mondo com'era, invece di affannarsi tanto a cambiarlo.

Siccome le sembravano pensieri molto filosofici, ne parlò con George, il quale s'illuminò in tutto il pelo e le disse: primo, che non si deve mai chiedere a chi sta facendo un certo lavoro perché sta facendo quel lavoro, se no si arrabbia, chiaro? Secondo, che alla gente piace pensare di cambiare il mondo e quindi bisogna lasciarglielo pensare, chiaro?

Per fortuna c'era la pausa caffè. A metà giornata, passavano tre piccole ragazze castoro con il grembiulino bianco e la crestina. Si tiravano dietro un carrello pieno di caffè e lo distribuivano a tutti i castori lavoratori.

Nella pausa caffè, George si sedeva vicino alla sua amica, ma non prendeva mai il caffè. Forse perché non lavorava, e chi non lavora non è giusto che faccia la pausa caffè. Cioè, la può anche fare, ma solo la pausa, senza caffè.

Alla sera, si trovavano a contemplare la luna e il lago. Lui le metteva un braccio intorno al collo, accavallava le zampe e le sussurrava:
« Cos'è di bello il lago stamattina! »
Lei provava a dirgli timidamente:
« Guarda che non è mattina... »
Ma lui sorrideva sornione e diceva:
« Lo so, pupa, era una citazione! »
Era una citazione da un film di Ugo Tognazzi, che era il suo idolo. Ma lei, la pupa, non sapeva chi fosse Tognazzi, né cosa volesse dire « citazione ». Però le piaceva molto la sera andare al cinema con il suo amico castoro, anche perché nell'intervallo lui comprava i pop-corn, e rimanevano in silenzio a sgranocchiarseli sotto la luna.
Molte volte però non potevano andare al cinema, perché il vecchio Reginald Castor li invitava a cena, lei e George. Invitava anche mamma pantofola, naturalmente, perché vuoi mica non invitare anche la mamma dell'amica di tuo figlio? Cucinava lui stesso delle stupende minestre di semi e nocciole e alla fine si fumava con suo figlio un buon sigaro davanti al camino.
Il vecchio Reginald Castor sperava, in segreto, che

29

la pennuta sarebbe riuscita, col tempo, a riportare suo figlio sulla strada giusta convincendolo che un bravo castoro doveva fare l'ingegnere.

Così fumava il sigaro insieme al figlio, con questi segreti e turbolenti pensieri; mentre le donne sorseggiavano una tisana alle erbe alpine. O meglio la sorseggiava solo lei, perché sua madre, in quanto pantofola, aveva una certa difficoltà a bere una tisana.

CAPITOLO QUINTO

U n brutto giorno accadde una cosa orribile.
Lei era salita come sempre sul bus e, arrivata
alla sua parte di lago, aveva cominciato a
rosicchiar legna insieme ai compagni. Poi ci fu la
pausa caffè, lei si voltò un attimo per chiedere a sua
madre se voleva un caffè e... non la vide.

Non la vide più!

Sparita! La sua mamma pantofola era letteralmente
sparita.

Le rimaneva il carretto, un'asse da niente e quattro
stupide ruote, di cui non sapeva più che farsene.

«George, ho perso mia madre! George...!»

Andava come una pazza urlando per tutto il lago,

l'anfiteatro, la collina. George era disperato e non sapeva cosa pensare e allora chiamò la polizia.

Arrivò la polizia, che perquisì tutto il bus. E arrivò anche una squadra di carabinieri sommozzatori che esplorò tutto il lago. E arrivarono le ruspe e le draghe, che rusparono e dragarono tutta la collina. Ma niente. Nessuna traccia di mamma pantofola.

Le ricerche furono allargate ai paesi vicini, senza alcun risultato. Nessuno riusciva a spiegarsi quella sparizione, anche se era ovvio che si trattava di furto: ebbene sì, qualcuno aveva rubato mamma pantofola. Ma chi?

Chi può mai rubare una mamma pantofola? E per farsene che cosa?

George pensava a più non posso. Nonostante fosse triste per la sua amica, gli piaceva da pazzi quell'enigma, era un bel banco di prova per le sue meningi. Mise la macchina del pensiero a tutta forza e si abbandonò al piacere delle sue mille congetture.

Forse la mamma della sua amica era una pantofola perduta... Cioè qualcuno aveva perso una delle sue due pantofole, magari aveva ricevuto un paio di pantofole nuove la notte di Natale e ne aveva subito perso una, o gliela avevano rubata, oppure non gli piaceva quel paio di pantofole che gli avevano regalato, magari gliel'aveva regalato la sua orrenda ex moglie, lui odiava la sua ex moglie e quindi quella sera andò in strada e buttò una delle due pantofole nel bidone, anzi, tutt'e due, ma una scivolò di fuori e diventò la mamma della sua amica... Ma poi magari quel tale ci aveva ripensato, magari aveva fatto pace con la ex moglie, e allora era andato a cercare le sue pantofole, e una l'aveva trovata subito perché era ancora nel bidone e l'altra no, perché era diventata la mamma della sua amica ed era finita lì da loro, nel paese dei castori, e quel tale cerca cerca, un bel giorno la trova e se la riprende perché poi, a ben guardare, era sua, e così adesso la sua amica ha perduto la mamma, però anche quel tale poverino aveva perduto la sua pantofola, e allora è andato cercandola per mesi e ora finalmente l'ha ritrovata, se l'è ripresa ed è felice. Non può sapere che nel frattempo la sua pantofola è diventata madre e quindi ora, se lui se la riprende, condanna una piccola creatura a rimanere orfana... Forse a volte la nostra felicità rende infelice un altro, e viceversa... Oppure... Oppure è lei! Ma sì, è lei, lei pantofola che, dopo molto dolore e infinite ricerche, ha ritrovato sua sorella... Già, perché le pantofole nascono in due, e se una delle due perde l'altra, allora è un vero guaio per entrambe perché non si può essere pantofole se si rimane sole, non si è più niente e la propria vita diventa triste e inutile. Oppure... Alt!

C'è un momento in cui i pensieri bisogna fermarli. Perché ne vengono troppi e si accavallano. Proprio come i cavalli: se tu li fai partire tutti insieme, poi si mettono uno sull'altro e infatti si dice: si accavallano. I cavalli. Ma anche i pensieri si possono accavallare. Mi si sono accavallati i pensieri, si dice. Si dice? Sì, si può dire, perché no?

Poi venne la notte.

Per fortuna a un certo punto viene sempre la notte e così per un po' copre tutto. Anche quella volta

33

venne la notte, e coprì tutto: il lago, la polizia, i sommozzatori, la pausa caffè, le frane e anche i pensieri di George.

Il mattino dopo i castori ripresero come niente a lavorare, perché le dighe dovevano pur continuare a essere costruite.

«Ma io ho perso la mamma!» provò a dire lei, in lacrime.

Poverina. Tutti noi, quando ci capita una tragedia, pensiamo che il mondo si debba fermare. Invece non si ferma mai, e perché dovrebbe?

George si estraniò. Ma solo un momento: si trovò un angolo di prato tranquillo e vi si adagiò, le zampe accavallate e il muso per aria. Voleva pensare con calma al problema: come ritrovare una madre che, in quel caso, era anche una pantofola, un caso singolare di doppia vita insomma. Dunque, in breve, come ritrovare una pantofola, dove risiedono normalmente le pantofole, che vita conducono: mille domande gli si affollavano nella testa, tutte e mille senza risposta. Era sinceramente disperato, ma non riusciva a farsi venire un'idea, perché non è facile trovare un'idea per aiutare qualcuno a cui hanno rubato la madre pantofola.

Il vecchio Reginald Castor, dal canto suo, era sconsolato: aveva sperato che suo figlio, per aiutare l'amica pennuta, si sarebbe buttato pancia molle a scavare, a divellere alberi, a costruire qualcosa, ad esempio un ponte o una strada ben lastricata per rendere a lei più agevole il cammino... Invece niente. Il suo sogno di vecchio padre moriva lì. Guardava con il cannocchiale il figlio lontano mollemente disteso sui prati, con un filo d'erba tra i denti.

«Un filo d'erba, capite?» diceva indignato agli altri castori che lavoravano scuotendo la testa, molto presi da compassione per il loro povero Capo.

Lei, in tutto ciò, visto che il tempo passava inutilmente ed era sempre senza mamma, decise di andarla a cercare, cos'altro poteva fare? Avrebbe tanto voluto che George andasse con lei e l'aiutasse a ritrovarla, ma lo vedeva così... così fermo che le rincresceva chiedergli di muoversi.

Restituì la tuta, la torcia e la cinta con tutti gli arnesi. Prese con sé quel che restava di sua madre e piano piano si allontanò, senza dir niente a nessuno. Non salutò nemmeno il suo amico George, non voleva distoglierlo dai suoi pensieri. Lo lasciò così, disteso sul prato con il suo filo d'erba in bocca.

Da lontano, chi l'avesse osservata partire avrebbe visto un piccolo essere ingobbito, malfermo sulle zampe, che si trascinava dietro uno strano carretto con le ruote, un'asse e quattro piccoli pezzi di tronco, rosicchiati ad arte per lei, un giorno, da un giovane castoro che non voleva costruire niente.

3

L'ALA NERA DI POLTRON STREL

Quando ci succedono delle cose tristi, la prima cosa che abbiamo voglia di fare è di andarcene lontano. Ci sembra che, facendo così, le cose tristi le lasciamo dove sono. Invece loro non stanno ferme, vengono via con noi.

Lei andava lontano e basta. Camminò così tanto che i piedi le facevano male. Sceglieva le strade grosse asfaltate, per non perdersi. Doveva solo tenersi bene a destra, attenta a non finire sotto i camion.

Di notte dormiva sul carretto di sua madre, così le sembrava quasi di averla ancora accanto. Gli parlava ogni tanto a quel carretto e, prima di addormentarsi, guardavano insieme le stelle.

A un certo punto arrivò nella grande città. La vide da lontano, avvolta in una nebbiolina viola trasparente, piena di torri altissime di vetro e di cemento, sembravano alberi giganti a cui avessero troncato la chioma.

Quando ci fu in mezzo, si accorse che non si vedeva più niente di quelle torri, perché era tutto troppo alto e troppo grande. Si sentiva solo un assordante e continuo fruscio: macchine elettriche che volavano a un metro da terra, e un sacco di gente che andava avanti e indietro e, senza mai guardare dove stava andando, riusciva a non scontrarsi mai: si sfiorava soltanto, in un vero e proprio miracolo di ordine, precisione ed equilibrio.

Il centro della grande città era abitato da signori che vestivano sempre di nero.

Indossavano mantelli neri giganteschi che li coprivano dalla testa ai piedi e si muovevano freneticamente tutto il giorno in lungo e in largo per il centro; a volte entravano nei loro infiniti grattacieli di cristallo e prendevano silenziosi ascensori che li portavano ora in alto ora in basso.

Sia che camminassero per le strade, sia che scendessero o salissero sui loro ascensori, lavoravano continuamente. Tenevano infatti, nascosto sotto il mantello, un vero e proprio ufficio in miniatura, dotato di tutti gli strumenti elettronici più sofisticati: telefoni cellulari, video al plasma, computer interconnessi, radar satellitari, e un'infinità di bottoni, pulsanti, interruttori.

Ogni tanto, di colpo e un po' a caso, qualcuno diceva:

« Sediamoci attorno a un tavolo e parliamo. »

Allora tutti si fermavano all'istante. Dall'alto scendeva, con grande lentezza quasi come scende la neve, un enorme tavolo di vetro, e tutti vi si sedevano attorno e, lì seduti, parlavano per giorni e giorni, ognuno dentro il proprio microfono, ognuno con le orecchie tappate da una cuffia acustica che li scollegava dal resto del mondo e li metteva in comunicazione uno con l'altro solo tra di loro.

Nulla di quel che si andavano dicendo si sentiva mai all'esterno. Solamente un leggero fruscio, come un frullo d'ali, prodotto dal volteggiare dei loro immensi mantelli.

Lei camminava con il naso per aria, sbalordita da quel che vedeva. E andò a sbattere proprio contro uno di questi signori neri, il più grosso e il più nero di tutti, che le chiese:

« Che animale sei? »

« Un castoro, signore. »

Il signore volteggiò nel suo mantello, e le puntò sul petto il suo elegante bastone da passeggio:

« Cosa sei venuta a fare tutta sola nella City? »

« Cerco mia madre. »

« E chi sarebbe tua madre? »

« Una pantofola. »

41

Il signore non fece caso a nulla di quel che lei rispondeva. Era un signore molto potente e sicuro di sé: faceva domande, ma non gli interessavano le risposte. Peccato, perché avrebbe almeno provato stupore: non capita tutti i giorni una tale che si creda un castoro e dica d'essere figlia di una pantofola. Ma lo stupore è un sentimento infantile, e quel signore aborriva tutti i sentimenti infantili: pensava dovessero appartenere solo ai bambini...

Con un agile giro di mantello, come fosse un'ala, fece quel che da subito aveva deciso di fare: la ghermì e se la portò via con sé.

La condusse a casa sua, un elegante loft al piano più alto del più alto grattacielo.

«Aspetta che sia notte» le disse, «e vedrai.»

Quando arrivò la notte, il signore in nero, che era niente meno che il Presidente dei Pipistrelli e si chiamava Poltron Strel, aprì le grandi vetrate della sua immensa abitazione e di colpo, come in una nuvola cupa, entrarono a frotte centinaia e centinaia di signori in nero uguali a lui, tutti pipistrelli, tutti amici e colleghi. E si disposero a testa in giù, attaccandosi con le zampe ai travi del soffitto, pronti a dormire.

«Vedi come si fa? Dormirai anche tu qui.»

Ma lei non voleva appendersi a testa in giù al soffitto, se ne rimase tutta la notte rannicchiata sul suo carretto mamma e non dormì neanche un po'. Aveva paura, non voleva diventare un pipistrello. Voleva solo cercare sua madre.

*

L'indomani si compì, come ogni mattina, il rito di inizio giornata: tutti i pipistrelli in fila uno per uno passavano sotto la doccia nera e, belli bagnati di fresco e neri, volavano via al lavoro.

Anche lei venne passata sotto lo spruzzo. Lei, insieme al suo carretto, perché non lo abbandonava mai. Le scese addosso un'acquerugiola tiepida e spessa che sembrava petrolio e la fece diventare tutta nera, lei e sua madre carretto.

Il Presidente la guardò compiaciuto:

«Bene, adesso che hai fatto la doccia nera, sei proprio un pipistrello.»

«Ma signore...»

«Qual è il tuo problema?»

«Mia madre...»

Raccontò al signore di com'era nata. Gli disse che sua madre era una pantofola con la faccia da topo e che un giorno il suo amico George mise le ruote a sua madre e allora lei poté andare a vivere con i castori, e infatti di mestiere adesso faceva il castoro anche lei, e andava tutto benissimo, ma poi le rubarono la pantofola, cioè la madre, ma per fortuna le rimasero le ruote, cioè neanche poi chissà quale fortuna, comunque sempre meglio di niente.

Il Presidente non ascoltò una parola di quel che lei gli raccontò. Però se ne rimase molto attento ad ascoltarla, con l'aria di chi sta molto attentamente ascoltando qualcuno, e alla fine disse ai suoi fedeli pipistrelli:

«Sediamoci intorno a un tavolo.»

Il tavolo quella volta non scese affatto dal cielo. Ma tutti i pipistrelli fecero finta di niente e si comportarono come se il tavolo ci fosse: si sedettero tutti in cerchio su sedie invisibili intorno all'invisibile tavolo. Il Presidente si mise a capotavola, prese un microfono e, nel silenzio generale, disse:

«Apriamo un dialogo...»

Pausa. Silenzio.

«... una piattaforma...»

Tutti rimasero fermi e zitti. Il Presidente continuò:

«... mettiamo i vari punti sul tappeto...»

Fermi e zitti. Grande concentrazione, e il Presidente finì la frase:

«... e stabiliamo le priorità.»

Infine, sempre nel più totale e partecipe silenzio, ribadì l'intero discorso:

Sediamo intorno a un tavolo, apriamo un dialogo, una piattaforma, mettiamo i vari punti sul tappeto e stabiliamo le priorità.

E tutti finalmente e con gran fragore applaudirono. Perché, a vederselo tutto bello unito davanti, era stato proprio un gran discorso!

«Evviva!»

«Evviva Poltron Strel!»

Solo lei rimase un po' perplessa. In quanto a sedersi intorno a un tavolo, va bene, era chiaro: uno prende una sedia e si siede. Il tavolo può esserci o non esserci, e anche la sedia, non importa, le parole comunque sono molto chiare. Se il tavolo c'è davvero, benissimo, uno gli si siede attorno; se non c'è pazienza, si fa finta, che problema c'è? Le altre parti del discorso invece le risultavano complicate: ad esempio, come si farà mai ad aprire un dialogo? Si può aprire una porta o un pacco, un cassetto, un barattolo di marmellata... ma un dialogo? E la piattaforma? Dove stava esattamente? Le sembrava che fosse rimasta un po' sospesa nel discorso, a mezz'aria; le veniva in mente l'astronave di *Guerre stellari*, un certo film di un tal Lucas che le aveva fatto vedere una sera di luna il suo amico George... Poi c'era il tappeto. Che però non c'era, ma non importa, si poteva fare come col tavolo, che se c'è bene, se non c'è uno fa finta che ci sia. Ma come si fa a mettere i punti sul tappeto, e quali punti? Punti scritti con la matita, con il gesso, o ricamati a mano, tipo punto erba, punto croce? In quanto alle priorità, poi, chissà cos'erano e come si faceva a stabilirle.

Diciamo che si sentiva confusa. Più che confusa, si sentiva fuori posto. E molto, molto nera. Ma questo era dovuto alla doccia.

Rimase seduta al tavolo per tutta la giornata. Alla fine, s'era quasi addormentata, quando a un certo punto, di colpo, si sentì sollevare in alto con tanto di sedia e carretto madre al grido di: urrà, urrà!

Stavano celebrando il suo trionfo. Tutti applaudivano, acclamavano, esultavano. Apprese, costernata, che mentre quasi dormiva l'avevano eletta e che quindi lei diventava, seduta stante, candidata.

« Candidata a cosa? » chiese.

Nessuna risposta. Tutti continuavano a farla volare

in aria con tanto di sedia e carretto e a urlarle nell'orecchio: urrà, urrà!, per cui lei pensò di aver fatto una domanda molto stupida e smise di farla. Era candidata, e basta.

Quella sera tornò al loft stanca morta. Non riusciva neanche a muoversi. Così dovettero prenderla di peso e appenderla al soffitto, in modo che dormisse da pipistrello come tutti gli altri senza tante storie.

All'alba il Presidente Poltron Strel le elencò tutti i punti sul tappeto, tra cui la regola tassativa della doccia nera. Tutte le mattine avrebbe dovuto sottoporsi, insieme agli altri, al rito della doccia nera:

« Perché il nero tende ad andar via » le spiegò « ed è assolutamente necessario rinnovarlo e rinvigorirlo ogni giorno. »

Le fece quindi indossare il mantello nero d'ordinanza con dentro il miniufficio superattrezzato, la rimirò un attimo molto soddisfatto di sé, ed ebbe un piccolo moto di tenerezza: le mise un'ala sulla testa e le disse, affettuosamente, che ora lei era una persona importante, e quindi non doveva più avere pensieri tristi come quello di pensare a sua madre, perché erano pensieri troppo individuali e infantili, e ora lei doveva pensare a cose più collettive e adulte, e che le avrebbe fatto un gran bene pensare a cose collettive e adulte, perché sarebbe uscita dal suo ombelico.

Disse proprio così. E lei non capiva cosa c'entrava adesso l'ombelico, se lo cercò e manco se lo trovò, in mezzo a tutte quelle sue piume arruffate, e non sapeva come dirlo a Poltron Strel che lei l'ombelico non ce l'aveva, ma non importa, non disse niente.

Dopodiché, il grande leader la spedì nel mondo, cioè fuori da quell'ombelico che lei non aveva, e le ordinò di tornare rigorosamente tutte le notti a dormire nel loft e di appendersi ai travi come tutti gli altri, da bravo pipistrello.

CAPITOLO SETTIMO

L ei si ritrovò nella grande città, per le vie del centro insieme a tutti gli altri. E la sua vita da candidata ebbe inizio.

Scoprì che tutti i pipistrelli erano candidati (e forse tutti i candidati erano pipistrelli... ma si fermò lì nel ragionamento, perché non era così sicura di volerlo fare fino in fondo, quel ragionamento).

Ognuno di loro se ne andava per conto suo a fare il candidato, cioè girava la città tutto il giorno facendo assemblee, riunioni, cortei, collettivi e discorsi strani che si chiamavano « comizi ». La sera ognuno andava a cena con tantissima gente sconosciuta, e quelle si chiamavano le « cene elettorali ».

Lei il primo giorno fece uguale ai suoi colleghi pipistrelli candidati: fece assemblee, riunioni, cortei, collettivi e comizi. Ma si sentiva morire, perché le cose che in realtà avrebbe voluto fare erano due e molto diverse: cercare sua madre e giocare. Ad esempio giocare a « palla avvelenata » o a « lupo ci sei? », o anche solo saltellare su una zampa sola per vedere quanto resisteva, o andare sul lago a tirare le pietre piatte cercando di fare dodici balzelli, perché fino a dieci ci era già riuscita, e adesso si trattava di superare almeno di due punti il record, cioè arrivare fino a dodici.

Invece niente. Alla sera tornarono al loft in corteo tutti insieme, uno dietro l'altro che sembrava la processione dell'Immacolata.

Era pesta e con le ossa rotte e la testa in frantumi. Si sentiva pesante come un cubo di marmo. Pregò la sua mamma pantofola che, ovunque se ne fosse andata, per piacere l'aiutasse perché lei, così pesante, voleva solo morire.

Il mattino dopo Poltron Strel la trovò fiacca.

Le disse che non si può fare il lavoro del candidato così fiacchi e, per spronarla, le ordinò di farsi una cena elettorale.

« Cos'è? »

Le spiegò che una cena elettorale serviva per farsi eleggere: ecco perché « elettorale ».

« Sì, ma perché 'cena'? » chiese lei, che non riusciva

a capire perché, per farsi eleggere, si dovesse andare a cena.

Non ebbe risposta. Però pensò che, essendo una cena, doveva un minimo farsi bella, perché quando uno va a cena fuori si mette in ghingheri.

Si preparò tutto il giorno, lisciandosi per bene le piume e pettinandosele a riccioli davanti allo specchio. Cercò anche di mettersi un filo di rossetto, ma le sbavò tutto sulle guance e capì che era meglio lasciar perdere. E poi, non aveva ancora l'età per certe cose adulte e poco infantili come il rossetto, meglio essere una ragazza acqua e sapone. Si mise allora un filo di perle, perché, pensò, un filo di qualcosa era bene averlo, e se non era di rossetto, che fosse almeno di perle. Lo chiese in prestito a una signora pipistrella parecchio elegante, la quale essendo molto gentile voleva anche imprestarle il suo paio di scarpe a punta con il tacco, ma lei disse grazie meglio di no, perché non ci sapeva andare sui tacchi e sarebbe capitombolata giù nel bel mezzo della sua cena elettorale ed era meglio non capitombolare alla propria cena elettorale. Meglio volar bassi, pensò. E uscì in ciabatte, senza rossetto e con il filo di perle che quasi le strizzava il collo, perché il collo della pipistrella era molto più piccolo del suo.

Alla cena elettorale pensava di dover parlare agli invitati, fare lunghi e articolati discorsi e dire che cosa voleva farne del voto e come avrebbe cambiato il mondo. Pensava cioè di dover avere un programma elettorale.

Si accingeva dunque a salire sul tavolo per fare il

suo primo discorso programmatico, quando la fermarono almeno dieci dei suoi colleghi, le si buttarono
addosso a pesce, placcandola come si fa tra giocatori
di rugby. La fermarono appena in tempo.

«Perché mi avete fermata?» chiese lei.

Le spiegarono che a una cena elettorale il candidato non deve fare e dire proprio niente: deve solo
esserci. Anzi, meno parla meglio è, perché così si fa
meno nemici e raccoglie, come si dice, un consenso
più ampio.

Le spiegarono che le cene elettorali si fanno per
tutt'altri motivi, ad esempio per rifarsi un po' delle
spese. Perché candidarsi costa, e quindi è giusto che
quelli che ti votano sborsino qualcosina per te, visto
che tu gli stai offrendo il piacere immenso di votarti.
E i piaceri a questo mondo si pagano.

«Ma loro non mi hanno chiesto di candidarmi...»
provò a dire timidamente.

«Non importa, gli stai comunque facendo un favore!»

«Quale favore gli sto facendo?»

Ma qui nessuno rispose, erano tutti volati via e si
sentiva soltanto il solito incessante fruscio nell'aria.

Imparò anche a fare discorsi in pubblico non dicendo
un bel niente. Si fermava in mezzo a una strada o una
piazza, saliva sul carretto mamma che le faceva da
podio e parlava alle folle usando certe parole, sempre
le stesse, che aveva imparato a memoria. General-
mente concludeva dicendo che, se fosse stata eletta,

si sarebbe seduta intorno a un tavolo e avrebbe stabilito le priorità, naturalmente insieme agli altri animali.

Le folle non solo non la ascoltavano, ma non la vedevano neppure, perché avevano ben altro da fare, tipo fare la spesa al supermercato, portare i bambini ai giardini o parlare di calcio al bar sorbendosi un bicchiere di bianco.

Lei, dopo aver parlato alle folle, scendeva dal carretto e, tirandoselo dietro, cambiava piazza, strada e folle. E così via, passava le giornate.

Le dispiaceva solo che il suo carretto, cioè il ricordo di sua madre, fosse diventato un podio.

« Povero carretto » gli diceva accarezzandogli il legno, « ridotto a fare da podio a una figlia comiziante! »

La sera, si appendeva come gli altri ai travi e cercava di dormire. Ma non dormiva. Intanto le facevano male le zampe perché lei non aveva delle zampe che finivano a uncino come i pipistrelli, per cui doveva tenerle tutta la notte tese e rattrappite per non perdere l'aggancio al trave. Una fatica mai più vista, un indolenzimento al mattino che metà bastava.

CAPITOLO OTTAVO

P er fortuna una di quelle sere una vocina la
chiamò:
«Ehi, tu, puoi mica scendere?»
Lei si lasciò cadere a terra e vide un piccolo pipi-
strellino macilento e grigetto, per niente nero, solo
grigetto chiaro.
«E tu chi sei?» gli chiese, perché non l'aveva mai
visto.
«Sono Pipi Strel, il figlio di Poltron Strel.»
«Il figlio del grande Poltron Strel?» fece lei, vera-
mente sbalordita e anche intimidita.
«Ebbene sì...»
«E com'è che non ti ho mai visto?»

« Eh... »

« Eh cosa? »

« È che mio padre... si vergogna di me e allora io me ne sto tutto il giorno nascosto, così lui non si deve vergognare di me » rispose abbassando gli occhi e diventando rosso fino alla punta delle orecchie.

« E perché si dovrebbe vergognare di te? »

« Eh... non sono venuto tanto bene, non vedi? Non riesco a essere bello nero, per esempio. Io la doccia la faccio, ma il pelo mi rimane solo grigio, non diventa mai veramente nero... Beata te! »

« Beata me perché? »

« Perché sei gialla. Io lo so che sei gialla, perché ti ho vista appena arrivata e adesso sei nera ma solo perché devi fare la doccia nera. Io non so cosa darei per essere giallo come te. »

Lei non aveva mai pensato di che colore era. Si guardò sotto le ascelle, dove la doccia nera non arrivava, e sì, effettivamente aveva le piume di uno strano colore chiaro, che non aveva mai visto addosso a nessuno, né ai castori né tantomeno ai pipistrelli. Quella sera si sentì molto felice perché aveva imparato la seconda cosa di sé: la prima gliel'aveva insegnata il vecchio Reginald Castor ed era che aveva le piume; la seconda, che era gialla. Ed è molto bello quando uno capisce qualcosa in più di come è fatto.

Quella notte rimasero tutta la notte a parlare, lei e Pipi, e diventarono molto amici. Perché se uno resta tutta la notte a parlare con un altro, alla fine della notte è quasi impossibile non essere diventati amici.

Al mattino fecero la doccia nera insieme. E Pipi

Strel, come al solito, non riuscì a diventare bello nero come gli altri. Non c'era niente da fare, rimaneva grigetto. Suo padre era sempre più costernato e anche quel mattino rimproverò il povero figlio:

«Ma insomma Pipi, è mai possibile che tu non sappia neanche farti una doccia come si deve? Guarda in che stato sei, guarda come sei grigio pallido, fai schifo!»

Pipi si sarebbe scavato una fossa. Voleva un gran bene a suo padre e gli rincresceva da pazzi deluderlo. Avrebbe voluto essere un gran pipistrello come lui, alto, nero, potente. Si faceva, se possibile, ancora più piccolo e grigio. Anzi, forse era così piccolo e grigio proprio perché rimpicciolire e ingrigire era il suo modo di deludere meno suo padre, o almeno così lui sperava.

«Dài Pipi, non fare così» lo confortò lei. «Vieni con me, andiamo a lavorare insieme!»

Ma lui non ci voleva andare, diceva che doveva rimanere nascosto nel loft, perché se no avrebbe fatto fare brutta figura a suo padre.

«Non è che potresti insegnarmi a diventare giallo?» le chiese di colpo, diventando tutto rosso fino alla punta delle orecchie.

Lei voleva molto aiutare quel pipistrellino venuto male, ma quella era una richiesta davvero strampalata e non sapeva da che parte incominciare: prima di tutto non era sicura che il figlio del grande e potente Poltron Strel potesse diventare giallo.

«Non vorrei che tuo padre si arrabbiasse...» gli disse.

Seconda cosa, non aveva la più pallida idea di come si facesse ad aiutare uno a cambiare colore. Ci pensò un momento e poi le venne in mente una cosa sola, di strapparsi dall'ascella una piccola piuma gialla. Così fece e la regalò a Pipi. Non era affatto certa che la cosa avrebbe funzionato; a dire il vero, non pensava che una piuma gialla poteva far diventare giallo un pipistrello, ma non le venne nessun'altra idea e disse a Pipi:

«Comincia a tenere questa piuma, perché chi ben comincia è a metà dell'opera.»

Frase che aveva sentito dire molte volte nel mondo, non si ricordava più da chi, ma non importa perché era una frase che faceva sempre molto effetto. Infatti a Pipi fece molto effetto, prese la piuma e se la nascose sotto il mantello all'altezza del cuore, con fare circospetto come se dovesse da quel giorno custodire un gran segreto.

Poi, si misero a lavorare insieme. Facevano così: si mettevano a parlare tutti e due insieme sul podio e parlavano di quel che gli pareva, tanto nessuno li ascoltava. Alla fine lei applaudiva lui, e lui applaudiva lei, e questo era un colpo veramente geniale perché, siccome dentro le folle ognuno fa sempre quel che fanno gli altri (se no, che folle sarebbero?), tutti cominciarono ad applaudirli.

Così in breve loro due divennero i candidati più importanti, cioè, come si dice in gergo, i candidati di punta.

Poltron Strel era molto orgoglioso del figlio, e alla

sera, vedendolo rientrare con la sua nuova amica, gli chiedeva:

«Allora, com'è andata oggi, ragazzi?»

«Benissimo, pa'!» rispondeva pronto il ragazzo.

«Bravo, figliolo! E mi raccomando, dacci dentro con la doccia perché ti vedo ancora troppo grigio!»

Diceva così tanto per dire, perché bisogna sempre strigliare a dovere i figli, anche se si stanno comportando bene. Anzi, secondo Poltron Strel, bisogna strigliare solo i figli che si comportano bene, perché tanto gli altri, cioè i figli che si comportano male, ci daranno sempre e solo delusioni... Così diceva Poltron Strel davanti a tutti i suoi compagni che, pur non avendo figli, annuivano molto convinti.

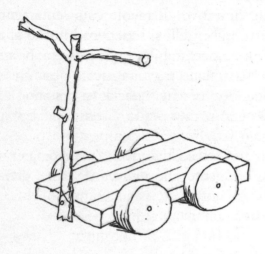

CAPITOLO NONO

F inì che lei e Pipi vinsero le elezioni. E dopo
averle vinte, Pipi divenne tutto rosso fino alla
punta delle orecchie, lei invece divenne molto
scettica e fiacca, e chiese a Pipi:

« E adesso che siamo stati eletti, cosa facciamo? »

E Pipi rispose:

« Non lo so. »

E diventava sempre più piccolo e grigio, tanto che
lei aveva paura che un bel giorno, puff!, sarebbe sparito.

Ci furono settimane di festeggiamenti. Li portarono in trionfo per tutte le vie del centro e stapparono
centinaia di bottiglie di champagne.

Poi a un certo punto Poltron Strel disse:

«Sediamoci intorno a un tavolo e stabiliamo le priorità.»

Aiuto, di nuovo! Il tavolo calò lentamente su di loro, tutti i pipistrelli si sedettero intorno al tavolo e per giorni e giorni stabilirono le priorità. Nessuno più beveva champagne, né mangiava e neppure dormiva appeso ai travi perché, quando si devono stabilire le priorità, tutto il resto perde di senso, persino lo champagne.

Rimasero tutti seduti attorno al tavolo per un mese circa. C'era gente che moriva di fame, gente a cui venivano attacchi di artrosi galoppante alle zampe, gente assonnata che si faceva le flebo di tè.

Lei e Pipi non ci capivano niente. Cioè lei non ci capiva niente, e Pipi di notte, parlando il più sotto-voce possibile, cercava di spiegarle quel che lui sapeva benissimo fin da quando era venuto al mondo.

«Ma cosa cercano di stabilire?» chiedeva lei.

«Le priorità.»

«Ho capito, ma cosa diavolo sono le priorità?»

«Le poltrone, ahimè» rispose Pipi, diventando molto triste.

«Quali poltrone? Cosa stai dicendo, Pipi?»

«Le poltrone... Cioè» le spiegò Pipi «stanno decidendo chi avrà le poltrone e chi no.»

«Ma sono già seduti sulle sedie!» disse lei, dando mostra di non capire veramente nulla. «Perché vogliono anche delle poltrone?»

«Ma non è per starci seduti...»

«E per cosa ti serve allora una poltrona?»

«Per comandare. Mio padre decide chi deve comandare e a ognuno dà un posto di comando che in gergo si dice poltrona. E più poltrone riesci ad avere, più sei potente.»

«E dove le mettono tutte queste poltrone?»

«Non le mettono, le contano! Più conti poltrone, più sei uno che... conta! Ma non l'avevi capito? Per questo mio padre si chiama...»

«... Poltron Strel, lampante!» disse lei, che di colpo pensò a una cosa alla quale non aveva mai pensato: che il nome Poltron Strel volesse dire qualcosa. Rimase un attimo assorta, poi scoppiò a ridere:

«Ma quindi tu mi stai dicendo che tutto questo gran potere di tuo padre vuol solo dire che conta le poltrone?»

Pipi non rispose. Comunque stessero le cose, gli dava fastidio che si ridesse di suo padre, perché era pur sempre suo padre e lui lo stimava molto. Rimasero un po' di tempo in silenzio, ognuno dentro ai propri pensieri.

«Io non la voglio una poltrona» disse lei.

«Io neanche» disse lui.

Scapparono.

Non è che decisero di scappare, e nemmeno si dissero: scappiamo; scapparono e basta. Sgattaiolarono via da sotto il tavolo e si ritrovarono in strada, per la prima volta liberi, senza il peso di dover fare i candidati in giro per la città.

Svoltato l'angolo, via! Se ne svicolarono allegri,

lontano dal centro. Arrivarono in una parte della città chiamata periferia, dove non c'erano grattacieli, ma catapecchie di ferro e cartone, piccole e basse. Lì le strade erano di fango e le auto non passavano perché, di auto, gli abitanti di lì non ne avevano nemmeno una. In compenso avevano tanti figli e quindi per le strade di fango c'erano tanti bambini.

« Che bello qui, vero? »

« Vero. »

I bambini adocchiarono subito il suo carretto e ci volevano giocare; lei ci pensò su un momento e poi lo imprestò a tutti.

« È uno skateboard! » dicevano felici e ci salivano con tutt'e due i piedi e via su e giù per le loro stradine fangose. Provavano anche a fare gli scalini, e i mancorrenti delle ringhiere, e i salti in alto con doppia acrobazia d'atterraggio.

Poi trovarono una specie di ramo fatto a T e, con chiodi e corde, lo fissarono al carretto a mo' di manubrio. Così il carretto di colpo aveva un manubrio.

« È un monopattino! » urlavano impazziti di gioia.

« È una bici! » urlò il bambino più grasso e più basso di tutti loro, montandoci a cavalcioni e spingendo avanti con i piedi nudi e grassi. In effetti vagamente poteva assomigliare davvero a una specie di bicicletta, a quattro ruote bassa e tozza, che al posto del sellino aveva un'asse larga come una pantofola.

Loro due se ne stavano seduti sotto un albero a guardarli giocare. Lei non disse niente. Non lo disse che quel carretto in realtà non era un carretto, ma il ricordo di sua madre. Non lo disse, perché come si

61

fanno a dire certe cose? Meglio lasciar perdere. Così tutti quel giorno pensarono di giocare chi con uno skateboard, chi con un monopattino e chi persino con una bicicletta da corsa. D'altronde, come avrebbero fatto a immaginare che stavano in realtà giocando con il ricordo della madre di qualcuno?

Quando venne la sera, la periferia non era più la stessa. C'era un'aria di festa, le catapecchie non sembravano neanche più catapecchie, e le strade, a forza di essere percorse avanti e indietro dal magico carretto, avevano perso il fango, sembravano quasi asfaltate.

«Tornerete domani, vero?» chiedevano tutti, adulti e bambini, ai due nuovi amici che gli avevano cambiato il mondo.

Ma Pipi era diventato scuro in volto e, quando tutta la gente si rintanò per cena, le disse che lui, poche storie, doveva tornare a casa.

«Perché mio padre è fiero di me» disse «e io non posso deluderlo proprio adesso.»

Questa faccenda del padre fiero lei non la capiva. Ma lei non aveva un padre, cosa poteva mai capire? Lasciò che Pipi andasse dove voleva andare, se proprio lo voleva. Peccato. Non era la stessa cosa scappare da soli o in due, ma pazienza.

«Cerca almeno di diventare giallo...» gli urlò da lontano, perché lui, piccolo e macilento, era già lontano.

Lo vide che si tastava il mantello dalla parte del cuore, nel punto dove aveva nascosto la piuma gialla, e le faceva ok con l'ala.

Ma era già troppo andato via, un puntolino di

pipistrello che si perdeva nella nebbia viola della città. Tornava in quel posto dove tutto è fruscio, a volte piovono grossi tavoli dal cielo e la gente non si parla e non si ascolta, e soprattutto non gioca mai per le strade. Tornava lì perché quello era il suo posto, ma ci tornava almeno con il sogno di diventare giallo.

Lei aspettò che si facesse notte, prese il suo carretto che adesso aveva un manubrio e quindi era diventato un monopattino, e via, un piede a terra e l'altro sull'asse, se ne andò sparata giù per le strade.

Meglio che il carretto fosse diventato un monopattino, pensò, così non aveva bisogno di nessuno che la trainasse. Meglio, perché tanto non aveva nessuno che l'avrebbe trainata.

Quella notte venne giù un acquazzone terribile che le lavò via tutto il nero. Così al mattino lei si ritrovò com'era sempre stata: gialla. Ma non se ne curò più che tanto, essere un pipistrello giallo o nero le faceva lo stesso. Voleva solo andarsene via, e naturalmente non sapeva dove.

4

ZONA ZAMPA LUNGA

È incredibile come, anche nelle situazioni più drammatiche, scomode o complicate, noi ci fermiamo a guardare i particolari. Ci incantiamo sui particolari, piccoli dettagli insignificanti che prendono del tutto la nostra attenzione.

Lei ad esempio era stanca, lacera e affamata. Veniva da un anno di viaggio e doveva trovarsi da mangiare e da dormire. Ma s'incantò davanti a un giardino.

C'era una bambina che saltava la corda, in quel giardino. Aveva le trecce, gli occhiali e le calzette bianche fino al ginocchio. Forse aveva anche delle scarpette blu con il bottoncino laterale, ma di questo lei non era sicura perché si fermò incantata a guardare la corda e come la bambina la faceva ruotare perfettamente in aria.

Era passato un anno, e in quell'anno lei non aveva visto nessuno, nemmeno un cane, perché aveva percorso strade senza case e senza paesi e città, strade senza niente, di quelle che attraversano i boschi e le campagne, costeggiano laghi e fiumi, tagliano le montagne e basta. Adesso quella bambina era il primo essere vivente che vedeva e le piacque moltissimo.

« Posso giocare? » le chiese.

La bambina rispose: sì, certo. E giocarono tutto il giorno.

Arrivati a sera, lei si aspettava che la bambina la invitasse a entrare in casa, invece niente, la bambina la salutò dicendole:

« Grazie di aver giocato con me, arrivederci. »

« Arrivederci a quando? »

« Non so... arrivederci e basta. »

Lei non sapeva che tra gli esseri umani si è soliti dirsi arrivederci anche quando si è certi che non ci si rivedrà mai più. È un modo di dire. Agli esseri umani piacciono molto i modi di dire, e non è che per ogni modo di dire stiano tanto lì a chiedersi cosa voglia dire o non dire, lo dicono e basta.

Allora lei, che per un anno era andata tutta da sola per il mondo senza lamentarsi, quella sera in quel giardino davanti a quella bambina che non la invitava a entrare, si sentì di colpo terribilmente sola e sperduta. E, anche se non si dovrebbe mai fare, si autoinvitò. Disse alla bambina:

« Non è che potresti tenermi con te? »

La bambina la guardò tristemente e rispose:

«No che non posso.»

Aggiunse:

«Mi spiace.»

E poi, siccome vedeva che lei era incredula e piena di domande, aggiunse ancora:

«Non posso perché io sono una bambina adottata.»

«E cosa vuol dire adottata?»

«Vuol dire che non ho dei genitori miei.»

«Anch'io non ho dei genitori miei. Sono anch'io adottata?»

«Ma tu hai genitori non tuoi?»

«No, io non ho genitori e basta.»

«Allora non sei adottata. Io sì, e i miei genitori non miei non possono adottare anche un'altra persona, perché hanno già me e io voglio essere la loro unica figlia adottata. Se ti faccio entrare, magari adottano anche te e allora io non sarò più la loro unica figlia adottata. Ecco perché non posso farti entrare.»

Detto ciò, la bambina saltellando entrò in casa. Lei vide da fuori che accendevano tutte le luci. Vide che c'era una donna ai fornelli e un uomo in poltrona che fumava la pipa. Vide il fumo delle pentole sui fornelli e il fumo della pipa, e pensò che sarebbe stato molto bello stare in mezzo a tutto quel fumo.

Scese la notte ma lei non riusciva a muoversi di lì. Al mattino la bambina uscì vestita da scuola, vide che lei c'era ancora, buttata in un angolo del giardino, sotto la foglia di una felce, e la salutò. Quando tornò da scuola, la salutò di nuovo e anche molto gentilmente, ed entrò in casa per il pranzo. Dopo pranzo, uscì in giardino e voleva giocare con lei a saltare la corda come il giorno prima. La chiamò, la invitò a giocare, ma lei niente, non si muoveva da sotto la felce.

«Sei malata?» le chiese.

«No.»

«Sei stanca?»

«No.»

«E allora cosa sei?»

«Sono pesante» le rispose.

La bambina giocò tutto il giorno alla corda da sola. E stava per rientrare per cena, quando le venne un'idea. Probabilmente le faceva un po' pena la sua amica buttata sotto la felce così, come un sacco di patate pesante. O forse aveva deciso di essere gentile e basta. Fatto sta che le si avvicinò, scostò la felce e le disse:

«Perché non ti fai adottare anche tu?»

«E come si fa?»

«Questo non lo so» disse la bambina. E riprese a saltare la corda.

CAPITOLO UNDICESIMO

«S cusate, come si fa a farsi adottare? » andava chiedendo ai passanti. Ma nessuno la degnava neanche di uno sguardo.

Fino a che si fermò un vecchio signore gentile, vestito di bianco e con una gran barba bianca, che per prima cosa le chiese:

« Che animale sei? »

« Un pipistrello » rispose.

« Bene, allora ascolta, caro pipistrello... »

E le spiegò che, per farsi adottare, la prima cosa era trovare una famiglia.

« E dove si trovano le famiglie? »

71

Il signore gentile fece un largo gesto con le braccia guardando verso l'alto e le disse:

«Ovunque!»

«Ovunque ad esempio dove?»

«Nei condomini! Vedi? Qui attorno ci sono tutti condomini perché qui devi sapere, caro pipistrello, siamo nella Zona Residenziale, e quindi tutti risiedono, cioè hanno l'appartamento in un condominio e, sotto, il giardino condominiale. Dunque, quale zona migliore per trovare una famiglia se non la Zona Residenziale? Basta che tu entri in un condominio, ti fai tutti i piani e... buona fortuna!»

Lei fu molto contenta di essere capitata nella Zona Residenziale, anche se, così a naso, avrebbe detto che in una zona residenziale dovevano essere tutti molto residenziali... cioè gentili. Invece non lo erano, tranne quel signore gentile.

Non aveva una gran voglia di andare per condomini. Le sembrava una cosa abbastanza noiosa doversi fare tutti quei piani, in monopattino poi... Così, chiese al signore gentile se per piacere non la poteva adottare lui. Ma il signore gentile si mise a ridere, e rideva così forte che a momenti gli cadevano i denti.

«Ma io non sono una famiglia!» disse tra una risata e l'altra. «Tu lo sai chi sono io?»

«No, chi è lei, signore?»

«Sono l'Amministratore.»

«Ah perbacco! E cosa fa di bello?»

«Amministro i condomini. Sai quanti ne ho? Un mucchio. Figurarsi se ho tempo di adottare qualcuno...»

E giù a ridere come un matto.

Quindi, pensò lei, i signori gentili sono Amministratori, e gli Amministratori sono signori bianchi pieni di figli che si chiamano condomini.

Decise di fare così: entrava in un condominio e grattava leggermente la porta di ogni appartamento, perché a suonare il campanello non ci arrivava; poi piazzava il suo carretto sullo zerbino, si accoccolava dentro e aspettava. Dove non c'era lo zerbino, non grattava neanche perché, pensava, se non hanno nemmeno uno zerbino figurati se adottano qualcuno! Stava un po' ad aspettare che la porta si aprisse, e se non si apriva saliva di un piano, e poi ancora di un piano e così via fino all'attico.

Così fece per giorni e giorni. Entrò in un centinaio di condomini, e ogni tanto incontrava l'uomo bianco gentile, cioè l'Amministratore, che le faceva ciao da lontano.

La poverina si fermò su circa duemilatrecentoquaranta zerbini. Poi perse il conto. Voleva morire, ma continuava a farsi diligentemente tutti i condomini, i pianerottoli, gli zerbini.

In genere, o non aprivano perché nessuno sentiva grattare alla porta; oppure aprivano e richiudevano subito perché nessuno mai che si abbassasse a guardare un po' più giù del suo naso, mai!

Finché un bel giorno una porta si aprì, e restò aperta.

Veramente era capitata in una zona particolare dove tutti i condomini erano magri e altissimi, una specie di grissini immensi, però fatti a parallelepipedo. Come ci sono gli spaghetti a forma di spaghetto e gli spaghetti alla chitarra, che invece sono quadri.

La porta che si aprì era in uno di quei condomini grissino. E quel che lei si vide davanti furono due zampe grissino: lunghissime ed esili come due stuzzicadenti giganti piantati sul pavimento. Guardò verso l'alto e vide piegarsi verso di lei un becco affilato che la scrutava. Sempre che un becco possa scrutare...

Poi il becco parlò, ma non a lei, bensì a qualcuno che stava là dentro:

«Fenny, c'è una specie di automobilina con le piume...»

E, così dicendo, richiuse la porta. Lei rimase lì irrigidita come un baccalà. Ma come? Mi aprono, mi vedono e mi richiudono la porta in faccia? Scese dal carretto e di nuovo grattò la porta.

«Io non sono quello che dice lei, signora!» disse con tutta la rabbia che aveva dentro.

«E chi sei?»

«Sono un povero pipistrello che ha perso la mamma!»

«E cosa c'entrano le ruote?» domandò il becco, sempre più chino verso di lei e molto incuriosito.

«Se mi adotta, glielo racconto.»

«Come sarebbe, se ti adotto?»

«Me l'ha detto un signore bianco e gentile che dovevo cercarmi qualcuno che mi adottasse.»

«E chi sarebbe questo signore gentile?»

«Se mi adotta, glielo dico.»

74

« E va bene, ma come faccio ad adottarti? »
Questo lei non lo sapeva davvero, ma disse:
« Mi fa entrare in casa sua e... io divento adottata. »
« Fenny! » urlò il becco verso l'interno della casa.
« Puoi venire un momento? C'è un pipistrello con le
ruote che vuol farsi adottare... »

CAPITOLO DODICESIMO

Madame Gru aveva sposato il signor Fenny Cotter in una grigia mattina di novembre in Camargue, dopo averlo ammirato mentre spiccava il volo dallo Stagno delle Acque Morte e si stagliava, meravigliosamente rosa, in quel cielo plumbeo di fine autunno. Perfetto avere un marito rosa, pensò madame Gru. Le mie amiche moriranno d'invidia.

In effetti madame Gru era l'unica gru ad aver sposato un fenicottero rosa, perché in genere ci si sposa tra gru. Il fatto è che lei aveva un'innata dote per l'eleganza dei colori e trovava che il rosa stesse davvero bene insieme al grigio, sia il grigio delle nuvole di Camargue, sia il grigio del suo penname di gru.

In Camargue non ci tornarono più, perché l'ormai attempato signor Cotter pativa le correnti d'aria, e in Camargue il vento prodotto dal galoppare di cavalli selvaggi sulla rena era per lui insopportabile.

Si erano stabiliti lì, nella zona dei condomini grissino che si chiamava zzl, Zona Zampa Lunga, perché vi potevano risiedere soltanto esseri con le zampe rigorosamente lunghe e rigorosamente due: aironi, fenicotteri, gru, cicogne, trampolieri; ma non giraffe perché di zampe, seppur lunghe, ne avevano quattro. La zona inoltre era vietata al traffico di tutti i veicoli bassi e veloci, compresi i tagliaerba condominiali, perché potevano tagliare di netto, passando a folle velocità, le esili e filiformi zampe degli esseri a zampa lunga ivi residenti, i quali per giunta, avendo zampe siffatte, erano costretti a muoversi con grande e solenne lentezza. Tanto, non c'era alcun bisogno di mezzi di trasporto, lì, perché tutti avevano le ali.

Era dunque una zona particolarmente tranquilla, alata ed elegante; ma con l'erba sempre lunga perché, a mano, nessuno si sognava di tagliarla.

Diciamo che l'erba lunga era il vero problema degli abitanti di Zona Zampa Lunga.

Il signor Fenny Cotter non venne affatto alla porta, quando sua moglie lo chiamò; se ne rimase perfettamente immobile dov'era e cioè allampanatamente disteso sul divano di velluto grigio, intento a sorbire il

77

suo tè au citron. Era in effetti l'ora del tè, e i due coniugi erano soliti farselo servire ogni giorno in salotto dal loro maggiordomo cinese Fru Lin.

Ciò nonostante, quando sua moglie rientrò, seguita da quello strano coso pennuto che si trainava dietro un carretto con il manubrio, il signor Fenny Cotter, da signore qual era, si alzò in piedi e, in tutta la sua maestosa lunghezza, fece un riverente inchino alla sua nuova ospite.

La quale rimase a rimirarlo estasiata: portava una vestaglia fiorata lunga fino ai piedi e, al collo, una sterminata sciarpa di shantung color fucsia. Il signor Fenny Cotter era infatti un signore rosa molto distinto e raffinato.

« Fenny, scusa: credo che abbiamo testé adottato questo essere piumato... A proposito, piccina, tu non sai chi è tua madre...» le chiese madame Gru.

« Sì che lo so! »

Strano individuo da adottare, pensò la signora Gru.

« E dove sarebbe tua madre? »

« Questo non lo so, me l'hanno rubata. »

« O bella! Non si rubano le madri. »

« La mia sì. »

« E chi sarebbe la tua mamma, piccina? »

« Una pantofola. »

« Fenny, uffa, di' tu qualcosa! »

La signora era arcistufa di tutte queste sciocchezze, i giovani e il disagio giovanile, le crisi adolescenziali, l'ecstasy, i centri sociali. E adesso una che pretendeva di essere figlia di una pantofola.

Suonò il campanellino e al buon Fru Lin ordinò di portare anche delle tartine alla marmellata di arachidi.

Presero il tè con le tartine. La piccola non sapeva che la fetta di limone andasse messa a bagno nel tè e se la succhiò a parte, trovandola veramente disgustosa. Questa cosa, unita al fatto che sorbiva il suo tè facendo un risucchio inaudito, indispose parecchio i coniugi Cotter, i quali decisero che non la potevano adottare.

« E perché mai? » chiese lei, disperata.

« Beh, guardati: non hai le zampe lunghe! »

I signori Cotter non erano cattivi. Solo, credevano fermamente in un mondo ordinato. E credevano che l'ordine consistesse nel non far confusione, ovvero nel tenere insieme le cose che sono simili, e tenere divise le cose che sono diverse tra di loro.

Le spiegarono che, se lei avesse avuto le zampe lunghe, per loro non c'era nessunissimo problema a tenerla in casa, nel condominio della ZZL, Zona Zampa Lunga. Il condominio, infatti, era abitato da gente di vedute molto Larghe, o meglio, Lunghe: come aveva potuto constatare, vivevano lì esseri di disparata origine e natura, aironi, cicogne, fenicotteri, gru... L'unica condizione era che avessero le Zampe Lunghe e rigorosamente due. Lei aveva sì due zampe, ma decisamente Corte e anche piuttosto Tozze. Dunque, non c'era niente da fare.

« Però... potresti trovarti un fidanzato! » s'illuminò madame Gru, presa da un'idea veramente luminosa.

Apparentemente il fidanzato, in tutta quella storia,

79

non c'entrava nulla. Ma l'idea di madame Gru era che, quando ci si sente soli, più che una madre, ci si debba cercare un fidanzato:

« Vedi, figliola, quando uno perde la madre, beh... non c'è niente da fare, l'ha persa e basta, diventa uno senza madre, ecco, inutile cercarne un'altra, non ti pare? Invece potresti cercarti un fidanzato, quello sì che ti farebbe un gran bene! »

E qui lanciò a suo marito Fenny, che se ne stava avvoltolato nella sciarpa di shantung fucsia, un'occhiata molto, molto maliziosa.

« Non si cercano madri nella vita, si cercano fidanzati! »

Lei, che non aveva mai sentito la parola fidanzato, rimase interdetta e si guardò le sue povere zampe. Davvero molto tozze. Avrebbe dato qualsiasi cosa per un paio di zampe lunghe e sottili...

« E com'è fatto un fidanzato? » chiese.

« Beh... può essere di vario piumaggio e... di varia lunghezza... » rispose madame, piuttosto imbarazzata.

« E cosa se ne fa uno di un fidanzato? »

« Beh... parecchie cosucce, cara... » rispose madame, sempre più imbarazzata « che adesso per la verità non ricordo... »

« E cosa bisogna fare per trovare un fidanzato? » chiese ancora, senza mai alzare gli occhi dall'orrore delle sue zampe.

Qui intervenne il signor Fenny Cotter, che, levandosi in tutta la sua spaventosa lunghezza, tuonò:

« Per prima cosa bisogna sapere chi sei! Perché, se

80

non sai nemmeno chi sei, come vuoi mai trovare un fidanzato idoneo? »

Chi sarà mai questo tal Idoneo, pensava la piccola, ma si tenne la domanda nelle piume.

Fenny Cotter era un uomo molto colto. Aveva studiato Legge, possedeva una buona biblioteca di circa un migliaio di libri, leggeva tutti i giorni il giornale e la sera, prima di cena, si guardava almeno un telegiornale. Essendo così colto, a volte veniva attraversato da pensieri quasi filosofici, tipo questi ultimi due: il sapere chi sei e l'idoneità dei fidanzati; e inoltre era preso, spesso, da una vera e propria ansia di ricerca scientifica.

Gli venne un attacco di quest'ansia scientifica proprio in quel momento: andò di corsa a prendere la sua lente e si mise a ispezionare con cura la sua ospite, piuma per piuma.

« A me non sembra un pipistrello... » sentenziò dopo lungo e accurato esame. « Prima di trovarle un fidanzato, ribadisco che bisogna sapere con esattezza che animale è. »

Sua moglie trovò la cosa molto giusta. Sua moglie trovava giusta ogni cosa che dicesse suo marito.

« Consultiamo l'enciclopedia! » propose madame Gru al molto colto marito.

Passarono parecchie sere in salotto a consultare l'enciclopedia, invece di guardare la tivù. Ma non trovarono nulla, nessuna foto che rassomigliasse anche lontanamente alla loro ospite. Al signor Cotter parve ovvio non trovare nulla, ed espresse il suo pensiero:

«Ovvio! Per fare una buona ricerca ci vogliono anni!»

«Sì, Fenny, ma se aspettiamo anni, questa qui ci scade...»

Giusta osservazione. Col tempo, anche i prodotti migliori scadono.

Allora al signor Fenny Cotter, che aveva studiato molto, venne un'idea:

«Mandiamola a scuola, così a scuola imparerà cos'è.»

«Giusto!» disse sua moglie. «A scuola s'impara di tutto, figuriamoci se non impari cosa sei!»

CAPITOLO TREDICESIMO

F u mandata a scuola, nella classe della signora
Tolmer.
La signora Tolmer era uno strano caso di
insegnante che faceva anche tante altre cose: scriveva
romanzi, allevava galline e capre, e sognava di vivere
in una stanza tutta per sé, leggendo libri in poltrona e
accarezzando di continuo un morbido gatto.

Quando qualcuno nella vita le chiedeva chi fosse
(cosa che può sempre capitare, ad esempio al mare in
vacanza o sul treno o all'anagrafe), la signora Tolmer
aveva un attimo di smarrimento. Non sapeva mai cosa
dire di fronte a una domanda del genere; in particolare non sapeva se rispondere che era un'insegnante o

una scrittrice o un'allevatrice o un'accarezzatrice di gatti, e finiva sempre col far finta di niente sperando che la domanda si autoeliminasse, ovvero si dileguasse nel nulla, da dove era venuta.

Era sua profonda convinzione infatti l'idea che tutto a questo mondo passa, anche le domande; bisogna solo lasciarle passare e non intestardirsi a volervi rispondere a tutti i costi. La stessa cosa, secondo lei, valeva per le lettere, i messaggi nella segreteria telefonica e l'e-mail: si poteva benissimo non rispondere a nulla di tutto ciò, bastava avere la pazienza di lasciar passare il tempo.

«Benvenuta!» le disse la maestra Tolmer, accogliendola in classe. «Cosa sei venuta a fare qui, piccina?»

Questo glielo disse non perché non volesse accoglierla in classe, anzi! La signora Tolmer aveva fatto numerosi corsi di formazione sull'accoglienza ed era diventata davvero molto accogliente. Il problema era solo che era maggio, e la scuola chiudeva di lì a quindici giorni, dunque si avevano tutte le ragioni per chiedere a un allievo cosa ci venisse a fare a scuola negli ultimi quindici giorni di scuola.

«Niente!» rispose lei. «Sono venuta solo per sapere chi sono.»

«Non c'è problema, cara, te lo diciamo subito. Sali pure sulla cattedra, così che i tuoi compagni ti possano vedere.»

Poi, rivolta alla classe, chiese:

«Ragazzi, mi sapete dire cos'è questo animale?»

Silenzio.

«Ragazzi, l'abbiamo studiato in prima elementare, è possibile...»

Silenzio.

«Guardate bene...»

«Osservate i particolari...»

«Pensate alle figure del libro di testo...»

«Insomma, ragazzi, che figura mi fate fare...»

Niente. Il silenzio regnava sovrano.

Finché, dall'ultimo banco in fondo a destra, si levò una esile manina sporca d'inchiostro.

«Materasso, di' pure!»

L'allievo che la maestra aveva chiamato Materasso parlò. Ma nessuno sentì nulla. Bisogna infatti sapere due cose: primo, Materasso era figlio di un materassaio, cioè di uno che faceva proprio i materassi. Tant'è che la maestra soleva prendere ad esempio il suo cognome per spiegare la nascita dei cognomi, e cioè che alcuni cognomi vengono dal mestiere che fai. Così, il piccolo Materasso si vergognava da morire del suo cognome e, quando gli chiedevano cosa fa tuo padre, rispondeva carda la lana. Risposta che gli pareva, come dire, meno impegnativa.

Seconda cosa, Materasso era per sua sfortuna il primo della classe e quindi era portato, per natura, a sapere sempre tutto e a rispondere a qualsiasi domanda la maestra ponesse alla classe. I compagni non ne potevano più di lui e gli dicevano sempre: sta' zitto! Quindi lui era tirato da due parti: dalla sua natura, che lo portava a rispondere a tutto; e dai compagni, che lo zittivano. Così scelse una via di mezzo, che era di rispondere a voce bassa, anzi bassissima. In modo che la maestra non sentiva mai nulla, ma lui la risposta l'aveva data.

Quel giorno però la maestra Tolmer, che non ne poteva più di fare brutta figura per l'ignoranza dei suoi allievi, chiese alla classe:

«Ragazzi, cos'ha detto Materasso?»

E tutti risposero in coro quel che aveva detto Materasso, e cioè:

«Anatra, signora maestra!»

Anatra.

La parola che i suoi compagni dissero in coro fu: ANATRA. Dunque lei apprese di essere un'anatra.

Lei *era* un'anatra. Una pennutissima anatra.

Una cappa di piombo le scese sulle piume. Si sentì mille cose diverse, tra cui: brutta, stanca, scoperta, nuda, artificiale, stupida, ignota, insignificante...

Cosa mai significava «anatra»? Mai sentita una parola simile. E poi, significano qualcosa le parole? Nella vita lei era stata tante parole: pantofola, castoro, pipistrello... Ma questa volta sentiva che non era la stessa cosa. Adesso le dicevano: anatra, e questa volta lei sentiva dentro di sé che era... vero.

Fu tramortita dal vero.

La maestra, notato subito il suo sconcerto, le mostrò, in un grande libro illustrato, il capitolo «Anatre» con tanto di foto a colori. In particolare si fermò sull'immagine di un'anatra ferma, in piedi sulla riva di

un fiume, che sembrava guardare fisso davanti a sé
una cosa come l'orizzonte lontano, il paradiso perduto o direttamente la faccia di Dio.

« Vedi? » le disse la maestra. « Tu sei così! »

Era la prima volta che lei si vedeva, e l'idea di
essere uguale a quell'anatra meditabonda e perduta
nel vago, in fondo, non le dispiacque per niente.

Se ne fece una fotocopia e per tutta la mattina
rimase a contemplare quella figura, studiando per
bene i particolari: le zampe palmate, le piume gialle,
il becco, le fossette laterali sul becco, le ali...

Ali?

Per le piume e le zampe nessun problema: lo sapeva di averle, e così pure il colore giallo.

Ma il becco!

Ma le ali!

Ma le fossette!

Fu una vera scoperta. Per ore andò becchettando e
aleggiando per aria, per provare a se stessa di avere un
becco e due ali. È sempre così, quando non sai di
possedere una certa cosa, passi ore a vedere come
funziona. Soprattutto, non capiva tanto bene cosa
farsene, di un becco e due ali. Ma era molto contenta
lo stesso. La pura idea di possesso ci rende quasi
sempre felici...

Tornò a casa saltellando per strada e saltellando sul
pullman, ripetendosi: sono un'anatra, sono un'anatra.

Stava diventando felice, perché, in fondo, è bello
sapere chi siamo. È un pensiero che ci solleva, e ci
conforta anche nei momenti più bui, quando tutto
intorno cambia, diventi vecchio, magari perdi le per-

sone care, cadi in disgrazia, ti crolla la casa... Non importa, c'è un'unica cosa che non cambierà mai: che animale sei. L'unica tua incrollabile certezza.

Entrò in casa trionfante spalancando la porta e disse:
   « Signori, sono un'anatra! »
   I signori non erano in casa, perché quello era periodo di saldi ed erano usciti a fare shopping in centro.
   Quando tornarono, era ora di cena. E a cena, lei ripeté, festosa:
   « Sono un'anatra! »
   « Bene, ne prendiamo atto » le risposero i signori Cotter tra una portata di lattuga e una crème di cavolfiori.
   « Allora adesso potrò trovare Idoneo? »
   « Chi? »
   « Il fidanzato Idoneo! »
   « Certo! » disse il signor Cotter alzandosi in piedi in tutta la sua spaventosa vestaglia fiorata. « Adesso bisognerà trovarle un fidanzato anatro. »
   « Naturalmente, Fenny. Bisognerà che lei, adesso che è un'anatra, frequenti il suo ambiente. »
   Però c'era un problema. I signori Cotter guardarono a lungo e muti l'anatra che avevano di fronte. Più a lungo la guardavano, più diventavano muti: trovavano che era veramente brutta.
   Non poteva frequentare gli anatri conciata a quel modo. Quindi per prima cosa pensarono di mandarla dal parrucchiere.

Peccato, avrebbe preferito mille volte tornare a scuola. Ma i coniugi Cotter le dissero:

« Adesso che sai chi sei, cosa ci torni a fare a scuola? Adesso che sai chi sei, devi andare dal parrucchiere. »

Il mattino di buon'ora fu presa dall'autista Smitz e condotta dal parrucchiere, il famoso Hantz che possedeva il salone di bellezza « da Hantz », noto in tutta la ZZL e dintorni.

Hantz la squadrò da lontano con una smorfia di leggero e contenuto disgusto. Poi le si avventò contro armato di un paio di forbici dalle lame smisurate che non smetteva di far tintinnare insieme ritmicamente e, al grido di « fate largo, bellezze! », le tagliò le piume di troppo e, con le poche rimaste, le confezionò sul cocuzzolo una specie di toupé a forma di bernoccolo.

« Cosa ne pensi, pupa? »

La pupa tornò a casa che si sentiva uno strofinaccio strizzato per lavare i pavimenti: triste, utile, obbediente, disperatamente rassegnato. A casa invece fu accolta come una specie di star che sia sul punto di vincere l'Oscar per la migliore interpretazione femminile. A volte la vita è così... doppia!

« Bene » disse madame Gru, « adesso ti ci vuole un vestito. »

« No, il vestito no! » urlò la povera anatra impazzita.

E scappò di casa.

5

QUEL MATTINO UN LUPO...

CAPITOLO QUATTORDICESIMO

Q uel mattino un lupo andava a passeggio per la solita via. La via era una via con i portici e vecchi edifici del Settecento, il lupo era un giovane Lupo Solitario molto distinto e dinoccolato, e il mattino era un fresco mattino di primavera.

C'era poca gente in giro perché erano solo le otto. Il lupo si fermò all'edicola, salutò cortesemente l'edicolante, una bionda signora di mezza età, e comprò i suoi soliti tre giornali. Poi si incamminò per la via sotto i portici.

Stava andando a prendersi il solito caffè al suo bar preferito, prima di entrare in biblioteca dove si sarebbe chiuso, come sempre, tutto il giorno a scrivere. Era infatti un lupo scrittore. Non aveva neanche un'idea in testa, ma era sereno: sapeva che le idee, prima o poi, gli sarebbero venute incontro.

Invece gli venne incontro un'anatra in monopattino.

Con le ali manovrava il manubrio, una zampa la teneva sull'asse e con l'altra zampa a terra faceva andare il monopattino. Gli sembrò un animale distratto e parecchio arruffato: stava per venirgli addosso e frenò solo all'ultimo, fermandosi dritta davanti alle sue zampe, come se volesse incontrare proprio lui.

Il lupo si fermò perplesso. Si sentì in quel momento come Don Abbondio al bivio della stradicciola dove se ne andava bel bello: nessuna via d'uscita.

Dunque, vediamo, pensò: io non ho una vita avventurosa. Essendo un Lupo Solitario, non mi capita mai niente, non viaggio, conosco poche persone e quelle poche le vedo di rado. Vado in biblioteca quasi tutti i giorni facendo sempre questa via e prendendomi sempre il caffè al solito bar «Abraham», quello con i tavoli di legno tutti diversi, uno tondo uno quadro, uno piccolo uno grande. Oggi invece sono le otto del mattino, sto andando in biblioteca e mi viene incontro un'anatra che viaggia su un monopattino... Qual è il problema? A occhio e croce, direi il monopattino.

«Sei di queste parti?» le chiese il lupo, tanto per fare due chiacchiere.

Oh no!, pensò lei: non poteva chiedermi chi sono?

Proprio adesso che per la prima volta lo so, avrei potuto rispondere giusto e guarda un po' questo lupo invece cosa va a chiedermi. Ne rimase molto delusa, le sembrò del tutto inutile sapere finalmente chi era. Cosa gli importa chiedermi da dove vengo o dove vado, non era *dove* la domanda che doveva farmi, era *chi*. Non si cambia domanda in questo modo!, pensò. E così rispose:

«Non sono preparata.»

Siccome erano proprio davanti al bar «Abraham», il lupo le chiese se voleva un caffè. Lo voleva, meno male. Si sedettero a un tavolo, quello quadro nell'angolo a sinistra, e si presero un caffè con la brioche.

«E cosa ci fai qui di bello?» le chiese il lupo.

Vide che tentennava un po', come se si vergognasse a rispondere; con l'ala faceva girare la tazza sul piattino come una trottola.

«Sono scappata, perché vogliono comprarmi un vestito...» rispose.

Il lupo la guardò con attenzione. Era davvero arruffata e scomposta, e adesso sembrava più che mai irrequieta. Però era anche molto carina. Il lupo le avrebbe fatto volentieri una carezza sul becco, ma si trattenne perché era un lupo come si deve.

«Già» le disse con aria complice, «tu hai le piume, perché mai dovresti metterti un vestito?»

«Mi dicono che devo...»

«Devi?»

«Mi dicono che devo avere un vestito... se voglio trovarmi un fidanzato!» rispose tutto d'un fiato, serissima, occhi bassi, mentre le piume le diventavano tutte rosse.

Il lupo rimase perplesso e anche molto divertito. Non vedeva il collegamento tra vestito e fidanzato, ma non importa, le disse che la capiva. Glielo disse così, perché gli stava parecchio simpatica quell'anatra. E anche a lei stava parecchio simpatico quel lupo, e le venne da precisare che, fosse stato per lei, ne faceva benissimo a meno di un fidanzato, anzi, non sapeva proprio dove metterlo, però era stata madame Gru a dirle che doveva trovarsi un fidanzato a tutti i costi.

«Madame Gru chi?»

«È la signora che mi ha adottato, insieme a suo marito.»

E qui si scatenò in un racconto dettagliato e confuso, di cui il lupo capì ben poco, ma non gli importava di capire, era molto felice di starla ad ascoltare. Gli piaceva un sacco quell'anatra, gli piaceva soprattutto il piumaggio, che gli pareva molto morbido, così, a una prima occhiata lupile. Gli piaceva anche il modo confuso che aveva di raccontare. E a lei piaceva molto raccontare tutto a quel lupo, anche se secondo lei quel lupo non stava capendo un bel niente di quel che lei gli stava dicendo; sarebbe rimasta lo stesso una vita a raccontargli tutto di sé, e allora continuava:

«Sai, lupo, è andata così: madame Gru non voleva adottarmi perché non aveva tempo, doveva prendere il tè con suo marito, ma io dovevo a tutti i costi trovare una famiglia perché, quando stavo dai castori, mi hanno rubato la pantofola, che poi era mia madre, e siccome il mio amico castoro George voleva solo andare a Oxford, non poteva cercarmi la pantofola madre e allora ho restituito i vestiti da castoro, ma sono stata rapita dai pipistrelli che mi facevano fare la doccia nera e anche la cena elettorale, allora sono scappata e ho incontrato una bambina adottata che mi ha detto: perché non ti fai adottare anche tu, e per farti adottare devi andare dove ci sono i condomini, che sarebbero i figli dell'Amministratore bianco, e ogni condominio ha un sacco di campanelli cioè di famiglie, e tu puoi suonare fino a che qualcuno ti apre, così io suonavo a tutti i campanelli, cioè veramente grattavo le porte perché ai campanelli io come faccio ad arrivarci? E poi finalmente mi ha aperto madame Gru che ha chiamato subito suo marito, che però è tutto rosa perché lui non è una gru, è un fenicottero e io non lo so come fa una gru a sposare un fenicottero... tu lo sai? »

No, lui non lo sapeva. Sapeva però che si era incantato ad ascoltarla. Ma lei a quel punto disse che doveva fuggire perché la stavano braccando e, se la trovavano, la portavano di peso nel negozio dei vestiti e lei era fritta, e se per favore le chiamava un taxi. Disse così, ma poi una nuvola le attraversò i pensieri, e quella nuvola era:

« Scusa, lupo, secondo te... si possono portare i monopattini sui taxi? »

Il lupo rimase un po' pensieroso: le chiese perché mai viaggiava in monopattino.

« Non è un monopattino » rispose lei, « è mia madre. »

Il lupo ripensò alla sua vita non avventurosa, nella quale di colpo gli era piombata un'anatra che diceva di avere come madre un monopattino.

« Cioè... Mia madre vera era una pantofola, ma poi George le ha costruito le ruote, e mia madre era diventata un carretto, solo che poi è morta, e allora i bambini... »

Il lupo diventò ancora più pensieroso. Rifletteva su come facesse mai una pantofola a morire. Ma ci mise troppo tempo a riflettere; avrebbe dovuto dirle qualcosa e invece non le disse niente e il taxi, come fanno quasi tutti i taxi del mondo, arrivò.

Lui la guardò salire. Pensava a mille cose: chissà come le sta bene un vestitino a fiori scollato, glielo vorrei comprare io, e invece adesso lei cosa va a cercarsi un fidanzato, meglio se non lo trova, o se quel cretino annega o se lo ingoia un castoro, e cosa diavolo ci sta a fare un fidanzato tra noi due, non c'entra niente, e io adesso glielo dico, e invece no, non glielo dico perché devo andare in biblioteca a scrivere, anche se non ho proprio neanche un'idea in testa, ma poi lo so che mi viene, perché le idee vengono sempre, le persone invece alle volte se ne vanno, soprattutto le persone un po' speciali che magari hai appena incontrato e non vorresti che andassero via mai più, le legheresti al tuo braccio con un cordino, come si fa con i palloncini, ma anche i palloncini poi se ne vanno, volano via e tu rimani con il tuo stupido cordino al braccio e cosa te ne fai, guardi il palloncino che se ne va in alto e poi non lo vedi neanche più, e chissà quanti milioni di palloncini ci sono in cielo, tutti i palloncini che abbiamo perso, che idioti!, cosa stavamo facendo quando li abbiamo persi, cosa avremmo potuto fare per non perderli mai, e io adesso cosa ci vado a fare in biblioteca, posso benissimo non andarci, e allora perché ci vado, e lei sale su quel maledetto taxi...

O forse, semplicemente, era un lupo distratto. O aveva altri pensieri. O aveva una fidanzata lupa, magari ce l'aveva da dieci anni e non gli piaceva più ma non gliel'aveva ancora detto. O non pensava che quell'anatra era la storia della sua vita, perché non è mai così chiaro quale sia la storia della tua vita; o lo pensava, ma non abbastanza. A volte pensiamo una cosa, ma non abbastanza e, se non la pensiamo abbastanza, quella cosa pluff, se ne va...

O la vita è così e basta, il tempo non è mai quello giusto, le cose devono andare in un altro modo, e non è mai vero che siamo noi a decidere come devono andare le cose, le cose vanno come vogliono loro.

Sta di fatto che quel mattino quel lupo non fece niente per fermare quell'anatra. La lasciò semplicemente andare.

E quell'anatra se ne andò.

6

ALLA CONQUISTA DEL CLUB DEGLI ANATRI

Q uando scese dal taxi, una squadra di struzzi si avventò su di lei bloccandola al suolo: erano i Policemen della ZZL che, ingaggiati da madame Gru, l'avevano pedinata fin lì.

La riportarono a casa. Quella notte la chiusero a chiave in camera da letto e al mattino due struzzi armati la scortarono a fare colazione in terrazza.

«Provati ancora a scappare e ti taglieremo le zampe» disse pacatamente madame Gru, sorbendosi la sua tazza di caffelatte con grani di riso. «Tanto, corte come le ha, non le cambierebbe un granché, vero, Fenny?»

Fenny si stava inalando un intero thermos di coffee

nella narice sinistra del becco. Una goccia gli andò per disgrazia sulla sciarpa fucsia e lui ebbe un inizio di convulsioni.

Lo lasciarono che si torceva sul pavimento in cotto toscano della terrazza, davanti ai due struzzi impalati che facevano gli struzzi, cioè finta di niente.

Madame Gru si portò via gli struzzi imbalsamati e chiamò l'autista Smitz, che caricò la povera anatra recalcitrante sul sedile posteriore, quasi impiccandola alla cintura di sicurezza, e tutti insieme partirono alla volta di Exclusivitz Street, la strada dei negozi esclusivi.

Entrarono da « Armanitz – Trendy for you ».

Per fortuna, pensò l'anatra guardandosi intorno, qui non ci sono vestiti. In effetti era tutto un susseguirsi di specchi, tavoli e poltrone in stile barocco, grandi tappeti, quadri e mannequin di donne nude, ma di vestiti nemmeno l'ombra. Venne loro incontro un giovine biondo vestito di verde pisello, scarpe comprese, che domandò se volevano per caso vedere un abito. Glielo domandò con la bocca stretta a cuore, le mani strette al petto, una gamba leggermente accavallata sull'altra e una strepitosa erre moscia.

« E dove sarebbero 'sti vestiti? » chiese l'anatra a voce altissima.

Madame Gru divenne paonazza di rabbia e le tappò il becco all'istante, sussurrandole all'orecchio: ma sei impazzita? Non sai che non fa chic esporre i vestiti? Non siamo mica al supermarket... Poi, rivolta al giovine, disse che sì, avrebbero gradito vedere un vestitino per la ragazza.

«Quale ragazza?» chiese il giovine commesso. «Scusate madame, ma io non vedo nessuno.»

«Se abbassa lo sguardo, la vede.»

Lui si chinò fino a terra e finalmente la vide.

«Non so se abbiamo la taglia...» balbettò disgustato dal mostriciattolo giallo che aveva davanti.

Lei si sentì un dolorino all'imboccatura del becco, ma fece l'aria indifferente. Per sembrare il più indifferente possibile, buttò l'occhio con maggiore attenzione sul giovine biondo e notò che non erano scarpe color pisello quelle che gli uscivano dai pantaloni, bensì un delizioso paio di stivaletti in pelle a squame.

«Che animale è?» domandò curiosa, indicandogli lo stivale.

«Ramarro» rispose il giovine, con un tripudio di erre, tutte verdi.

L'anatra pensò intensamente al ramarro, alla vita magari meravigliosa che egli aveva dovuto abbandonare per divenire lo stivaletto di quell'essere armanitzato. Indi fu presa da uno spasmodico bisogno di uscire, e uscì.

Fu immediatamente ripescata per le piume dagli struzzi e riportata di peso dal signor Ramarro, il quale la cacciò in uno stanzino e le infilò di forza un vestito nero scollato fino in vita e lungo fino ai piedi.

«Che ne pensa, madame, non è magnifique?»

«Magnifique, magnifique!» diceva madame Gru, sciogliendosi in brodo.

Lei invece si sentiva una foca. Una foca annegata,

per troppo calore, nei mari del Sud. Uscì dallo stanzino. Uscì anche dal vestito e svenne.

Dopo otto boutique di Exclusivitz Street e otto svenimenti, madame Gru con la sua squadra se ne tornò a casa con la coda tra le gambe e disse: mai più.

Fece 32 telefonate alle sue 32 vicine di casa, pregando ciascuna di voler accompagnare la sua ospite adottiva, un giorno per una, a comprarsi qualche cosuccia da mettersi:

« Non so, un vestitino, una robina... »

« Sai, tu che hai gusto... »

« Per frequentare certi ambienti, capisci, mia cara... »

« Capisco, mia cara, figurati, sarà un plaisir... »

E via dicendo.

Il primo giorno, chi accompagnò l'anatra fu Airona Splitz, una grassa signora quarantenne che si serviva sempre da Turku & Stan, un negozietto orientale tenuto da due gemelli, Turku e Stan, come diceva il nome del negozietto, appunto.

Lì la intabarrarono in larghi camicioni di canapa. Poi in pigiami di seta cinese a fiori. Poi le misero attorno alla pancia certi foulard di crêpe in voile, fermati da catene di lapislazzuli fosforescenti e le infilarono ai piedi certe babbucce di cuoio ricamato con la punta che girava in su.

Lei si sentiva un abat-jour da notte. E le veniva da vomitare, perché il tutto accadeva in una specie di grotta a luci soffuse, dove decine di incensi aromatici bruciavano nell'aria rendendola irrespirabile.

«Mi dispiace» disse Airona Splitz alla sua amica madame Gru, restituendole alla sera l'anatra nuda e cruda, «temo che lo stile New Orient non si addica alla tua figliola.»

Il secondo giorno fu presa in volo da una gru magra e smilza che si chiamava Rosencratz. Faceva la gru manager e portava solo tailleurini o beige o neri, modello maschile, ma con grandi scollature mozzafiato e zampa lunga di fuori, fasciata in calze a rete autoreggenti, con scarpe a punta che avrebbero infilzato un bisonte.

«Ci serve un vestito dal taglio come dire aggressivo, una roba che abbia grinta, capisce?»

Trenta commesse all'istante ai suoi piedi risposero: ma certo, signora. E le presentarono trenta tailleurini, beige e neri, con ampi revers affusolati fatti di lama tagliente, e bottoni in metallo radioattivo.

Li comprò tutti e trenta al volo senza farglieli nemmeno provare, perché dove lo trovava il tempo, con tutte le decisioni da prendere, le riunioni da fare, i colleghi da incontrare. Alla sera, li scaraventò tutti e trenta in casa Cotter, facendosi ovviamente pagare il conto. E madame Gru, con pazienza, fece indossare uno per uno i trenta tailleur all'anatra. Le stavano da cani. Sembrava un bidone della spazzatura a cui qualcuno avesse messo in testa di essere un capitano d'industria. Un disastro.

«Forse ti starebbe meglio qualcosa di più... di più...»

«Di più semplice?» chiese Fenny Cotter sfogliando la rivista «Class».

Il terzo giorno madame Gru pregò in ginocchio la sua amica del cuore di pensarci lei al vestito di sua figlia.

La sua amica del cuore era una cicogna molto carina, dalle piume lunghe e leggermente celesti. Aveva un carattere dolcissimo, sorrideva sempre e aveva una voce da bambina. Si chiamava Silvitz. Quando madame Gru aveva un problema, grande o piccolo che fosse, o anche solo si sentiva un po' giù, chiamava la sua amica del cuore Silvitz e il mero sentir quella voce la tirava su. A volte s'inventava persino di avere dei problemi, per sentire la voce bambina della sua amica.

Silvitz vestiva molto semplice, forse un po' infantile. Ad esempio, amava le scarpe basse da paperina, magari con un fiocchetto colorato in punta. Madame Gru si ricordò che per sposarsi la sua amica si era fatta fare dal sarto una specie di mantella a forma di margherita, con il collo di petali e la gonna di foglioline, e per l'occasione trovò non si sa dove un paio di scarpine a forma di coccinella, una vera delizia.

Allora chiese a Silvitz se per favore portava l'anatra dal suo sarto.

Il sarto prese le misure all'anatra e le confezionò un vestitino arricciato in vita tutto disegnato a piccole mele rosse con le foglioline verdi. Completò il tutto con un cappello semisferico, a forma di mela, con il picciolo in cima e, di lato, un bel bruco che usciva dalla polpa. Naturalmente finto, cioè fatto di morbido panno color panna. Per i piedi lasciò perdere. Non sapeva cosa mettere a quei piedi così palmati, e glieli lasciò nudi.

Quando arrivarono a casa, la mezza mela le era scesa fin sul becco e lei non ci vedeva più niente. E il vestito, troppo arricciato, le era salito fino al collo e sembrava impiccarla, lasciandole la pancia del tutto scoperta. In compenso il bruco di panno stava benissimo, così che, quando Fenny Cotter andò ad aprire, chiese gentilmente a sua moglie, che stava sorbendo una tazza di tè in salotto:

«Scusa cara, non ricordo, avevamo adottato un'anatra o un bruco?»

Il bruco non piacque. E alla fine delle 32 amiche e quindi delle 32 visite, madame Gru non sapeva che altro fare, se non ordinare al buon Fru Lin:

«Per favore, Fru Lin, pensaci tu.»

Fru Lin era un fringuello cinese ormai quarantenne. Da giovane aveva perso i genitori in un incidente aereo e allora aveva lasciato la Cina per l'Europa, anche perché ultimamente l'emigrazione dei cinesi in Europa era cosa molto promettente. Aveva fatto molti lavori, tra cui ingegnere, fotografo ai matrimoni, idraulico benestante e avvocato di grido, molto di grido.

Ma lui sognava una famiglia e, non avendo trovato

nessuna fringuella con cui metterne su una propria, aveva deciso di entrare a far parte di una famiglia altrui, ed era entrato nella famiglia Cotter. Era entrato letteralmente dalla finestra del bagno che il signor Cotter, una sera d'autunno che faceva già freschetto, aveva lasciato inavvertitamente aperta.

Fru Lin non aveva una vita propria e dunque nemmeno degli abiti propri. Aveva solo livree. Decine e decine di livree, a righe e in tinta unita, di seta e di lana, scozzesi o pied-de-poule, a fiori o a quadretti.

Prese l'anatra molto volentieri con sé, ma non seppe portarla in altro luogo se non da « Una livrea di sogno », l'unica boutique di livree della città. Le comprò un completo da maggiordomo blu notte, con tanto di bottoni d'oro e berretto gallonato.

Quando madame Gru se la vide comparire così, capì che non c'era più niente da fare e andò a guardarsi un po' di tivù.

Fu così che la prima volta che l'anatra entrò nel Mondo degli Anatri, ci entrò nuda. Per fortuna non ci entrò del tutto, anzi, non entrò per niente: rimase fuori. Possiamo dire che rimase fuori nuda.

CAPITOLO SEDICESIMO

Il Mondo degli Anatri era un Club di Tennis, gigantesco.

Tutto intorno, per chilometri, c'era una rete metallica alta venticinque metri e l'ingresso era chiuso da un'enorme sbarra bianca blindata, che si alzava solo se avevi la tessera magnetica.

Lei non aveva la tessera magnetica, e quindi rimase fuori.

Rimase tutto il pomeriggio a guardare, con il becco infilato nella rete metallica. E ci tornò per un mese, senza riuscire mai a entrare.

Stava buona buona a rimirare centinaia di anatri e anatre che giocavano a tennis. Soprattutto le anatre la colpirono molto perché, quando si libravano in volo per acchiappare la pallina, i loro graziosi gonnellini a pieghe svolazzavano per aria come petali al vento.

Altri andavano in canoa sul fiume, o prendevano il sole sulle chaises longues, o si allenavano a scivolar sull'acqua con una specie di pattini alle zampe, tipo sci. Tra i campi di terra rossa serpeggiava infatti un ameno fiumicello, che non era un fiume vero, cioè non nasceva da nessuna montagna e non finiva in nessun mare: era un fiumicello artificiale, costruito apposta da uno staff di architetti fluviali per il Club esclusivo degli Anatri.

Rimase per giorni e giorni a veder volteggiar racchette e svolazzar palle, pieghettar gonnelle, mostrar piume, molleggiar di scarpe palmate aerodinamiche, piroettar d'agili code attorno alla rete del campo.

Finché madame Gru si stufò. Prese una vecchia camicia da notte del marito, la pieghettò, la tagliò, la cucì e la sistemò alla vita dell'anatra. Chiamò la sua opera « gonnellino da tennis n. 1 » e disse all'anatra:

« Adesso finalmente potrai entrare al Club. »

Infatti quel giorno al Tennis la fecero entrare. Lei non aveva fatto nulla di speciale, si era solo presentata davanti alla sbarra, tutto uguale al giorno prima. Invece miracolosamente la sbarra si alzò.

Incredibile come a volte nella vita basti il gonnellino giusto!

Si sedette a un tavolino. Intorno tutti giocavano a

tennis, chiacchieravano, sorseggiavano bibite. Ordinò una bibita. E di colpo si sentì ridicola. Non sapeva esattamente perché; in fondo era un'anatra ed era riuscita a entrare nel Mondo degli Anatri, cosa poteva volere di più... adeguato?

Si sentiva adeguata, ma ridicola.

Diciamo che indossare un gonnellino ricavato dalla camicia da notte di un fenicottero contribuiva non poco ad alimentare il suo sentimento del ridicolo, e per giunta quel pezzetto di stoffa le arrivava buffamente solo a inizio zampa lasciandole completamente scoperta la coda. E lei si chiedeva: cosa mettersela a fare una gonna, se non ti copre nemmeno la coda? Inoltre: se tutti gli anatri giocano a tennis, tu come fai a essere davvero un'anatra, visto che non sai giocare a tennis?

Per fortuna, all'uscita incontrò un grazioso lucertolino verde, che se ne stava sdraiato sul pietrone d'ingresso del Club. Vedendola preoccupata, le disse di non preoccuparsi. Le disse anche che era molto carina e di sicuro gli anatri si sarebbero leccati i baffi al solo vederla.

Quali baffi?, pensò lei, ma non disse niente a quel lucertolo che nemmeno sapeva chi fosse e che, quasi avesse sentito i suoi pensieri, subito cortesemente le si presentò:

« Piacere, mi chiamo Lucertolo Lucio. »

Per tutta l'estate, nessuno dell'esclusivo Club degli Anatri le si avvicinò, nessuno le rivolse la parola, nessuno la fece giocare a tennis. Niente. Lei entrava, si sedeva a un tavolino, da sola, guardava, sorbiva la sua bibita.

Ogni tanto, quand'era particolarmente giù, si chiedeva: ma cosa sono un'anatra a fare, se nessuno si accorge di me?

All'uscita ritrovava sempre Lucertolo Lucio, che usava stare sulla gran pietra all'ingresso del Club, steso tutto il giorno a prendere il sole come si conviene a tutti i bravi lucertoli. Quando la vedeva, le diceva sempre la stessa cosa e cioè di non preoccuparsi; e lei si abituò a lui, anzi, cominciò a pensare: per fortuna che c'è Lucio. Pensava anche: che bello sarebbe essere una lucertola invece che un'anatra. Se era una lucertola, poteva stare tutto il giorno sul pietrone d'entrata senza entrare; invece, essendo un'anatra, le toccava questo tormento di dover entrare. Brutta sorte appartenere a qualcosa! Brutta sorte dover entrare, anziché rimanere comodamente sulla soglia!

Divennero molto amici, lei e Lucio. Si vedevano solo quando scendeva il buio: lei usciva dal Club e lui si offriva di riaccompagnarla. Così facevano la strada insieme per tornare a casa, e si può diventare molto amici anche solo facendo la strada insieme per tornare a casa.

Lei lo sistemava sul carretto mamma e se lo portava dietro tirandolo per il cordino. Gli raccontava di sé, che nessuno le rivolgeva mai la parola, e lui a sua volta le confidava le sue paure, ad esempio che fin da piccolo aveva la terribile paura di perdere la coda. Gli era venuta a forza di sentir dire di tanti lucertoli come lui che di colpo, tac!, si ritrovano con la coda spezzata, o perché gliela strappa un bambino per giocare o perché resta impigliata in una finestra o tra gli artigli di un gatto.

Così, parlando ognuno dei propri incubi, l'estate passò.

Quella estate passò. Poi ne venne un'altra, perché non è che l'estate passa e finita lì, no, un'estate passa, poi ne viene un'altra, e un'altra ancora e via così. Tutto un passeggìo di estati, la vita.

I signori Cotter erano molto frementi. Fremevano perché la loro ospite anatra invecchiava e loro un altro anno così inutile e vuoto non intendevano trascorrerlo proprio per niente: o lei si trovava questo benedetto fidanzato o dovevano disadottarla. Che voleva dire cacciarla di casa. Così le dissero, burberi, una sera di inizio luglio, becchettando a cena tartine al foie gras.

« Possibile che non riesci a trovare qualcuno, anche solo che ti offra un gelatino al bar? »

Lei si chiese cosa c'entrava il gelatino al bar; forse trovare un fidanzato voleva dire trovare qualcuno che ti offre un gelatino al bar. Strano, non ci aveva mai pensato.

Era davvero molto dispiaciuta. Non riusciva a trovare nessuno che le offrisse quel benedetto gelatino, però un bel giorno incontrò un giovane vestito strano, e lo portò a cena dai Cotter, così magari si placavano almeno un po'.

Quel tale portava un paio di brache alla zuava, un gilet di pelo riccio e bianco, uno zufolo alla cinta e un cappellaccio di panno a larghe tese. Quando lo videro, i poveri Cotter inorridirono, temendo che quel giovine rozzo fosse il suo fidanzato. Ma per fortuna loro non era così.

«È il tagliaerba!» rispose l'anatra trionfante.

«Ma come? Lo sai che nella nostra zona i tagliaerba sono proibiti!»

«Ma questo non è elettrico, e non taglierà le zampe a nessuno!»

«E come funziona?»

«Semplice, state a vedere.»

Il giovane prese lo zufolo e si mise a zufolare una dolcissima melodia: di colpo arrivarono, non si sa proprio da dove, centinaia e centinaia di pecore, tutte ricce e bianche come il suo gilet, che infatti era un gilet di pelo di pecora. Subito si distribuirono nei prati condominiali e ordinatamente (perché le pecore sono animali molto ordinati) cominciarono a brucare.

Brucarono per tre giorni e tre notti. La ZZL era diventata un'enorme distesa di lana bianchiccia: tutto era pecora, il mondo stesso sembrava essersi trasformato in un mondo di pecore e basta. Gli animali zampalunga non osavano più avventurarsi per le strade, rasentavano i muri dei loro condomini, oppure, se dovevano proprio attraversare una via o una piazza, lo facevano al rallentatore, alzando con circospezione una zampa via l'altra, cercando un piccolo spazio vuoto dove far atterrare la zampa, in tutto quel mare di velli lanosi.

Quando le pecore finalmente se ne andarono seguendo il loro giovane pastore al suono dello zufolo, i prati erano perfettamente tosati.

Fu così che l'anatra risolse l'annoso problema dell'erba lunga nella Zona Zampa Lunga. E fu considerata l'Eroe della zzl.

I coniugi Cotter invece non erano per niente contenti e tantomeno fieri di lei. Anzi, divennero ancora più arrabbiati e le urlarono:

« Eh no, non si fa così, che invece di un fidanzato ci porti in casa un tagliaerba vestito da pastore sardo! »

E fecero quel che avevano minacciato: la cacciarono di casa.

7

PRINCIPESSA

«L ucio tu mi devi aiutare. Poche storie, impegnati e cerca di capire come devo fare per trovare il fidanzato, perché qui non ho nemmeno più un tetto per andare a dormire, capisci.»

Lucio s'impegnò. Fece un lungo viaggio e tornò al suo paese d'origine, per interrogare gli avi. La sua era un'antica famiglia di lucertole muraiole, che viveva in un deserto al sud della Spagna, nel luogo più assolato del mondo, dove c'erano solo zolle di terra riarsa, muretti e pietroni devastati dal sole: un vero paradiso. Lucio salutò mamma e papà e i suoi quarantotto fratelli, poi andò di filato da nonna Talanta, che era l'unica ava che gli rimaneva.

Nonna Talanta aveva ormai novant'anni, ma da giovane era stata la lucertola più veloce del mondo e aveva vinto molte gare di quella specialità olimpica, riservata alle lucertole muraiole, che si chiama « corsa sul muro ». Ora si era un po' appesantita con l'età, e viveva sugli allori, cioè dentro una delle infinite coppe d'oro che aveva vinto. La spina dorsale le era diventata ormai tutta concava come la coppa, a forza di stare lì dentro, tanto che tutti in paese la chiamavano « zia Curva Talanta »; ma era ancora parecchio gagliarda, almeno a giudicare dagli occhietti arzilli che le lampeggiavano dalle pieghe della pellaccia verde rinsecchita dal sole.

Fu molto felice di vedere il nipote e rispose immediatamente alla sua domanda, perché lei era vecchia, ne aveva viste di tutti i colori e sapeva benissimo come si fa: inutile fare tante storie e starsene in disparte ad aspettare che nella vita le cose ti arrivino, perché da sole non arrivano mai, l'unico modo per trovare un fidanzato è di mettersi sulla piazza. Disse proprio così:

« Di' alla tua amica che deve mettersi sulla piazza. »

Lucio non capì bene il senso di quelle parole, ma le riportò tali e quali alla sua amica anatra.

La quale subito, il mattino dopo, si mise sulla piazza.

Scelse la piazza più grande del paese e vi si piazzò proprio al centro. Era un bel pomeriggio caldo senza nuvole. Lei si mise lì, un po' sudata impolverata imbronciata, strattonandosi dietro l'immancabile carretto. Certo non era comodissimo piazzarsi al centro di una piazza. C'era un gran frastuono di clacson e un continuo sfrecciare di veicoli, ma pazienza. Se la nonna di Lucio aveva detto così, bisognava fare così.

E infatti funzionò. Proprio vero che i vecchi la sanno lunga!

In meno di dieci minuti si fermò attorno a lei un nugolo di centinaia di auto, moto, camion, biciclette e carretti a motore.

In particolare una moto, rossa fiammante e rombante, le si inchiodò quasi sulla pinna sinistra. Tanto che lei dalla paura cadde seduta per terra.

Il tizio che guidava la moto, intabarrato in un casco blu notte e in un giubbotto nero con tutta una raggera di lingue di fuoco sulla schiena, temette di averla investita e partì con una sparata di scuse, mi perdoni, mi dispiace, non volevo e, non sapendo tanto bene come uscirne, finì con l'offrirle un gelatino, così, tanto per tirarla su, anche in senso letterale: cioè tirarla su dall'asfalto al quale sembrava appiccicata per sempre.

Le disse proprio così:

«Che ne direbbe di un gelatino?»

Lei si guardò intorno a vedere se ci fosse per caso un bar nei dintorni: ce n'era uno proprio davanti, perfetto.

Gelatino più bar uguale fidanzato, quindi pensò:

TROVATO!

123

L'ignoto motociclista si chiamava Franco Fondac ed era un aitante anatro biondo con due occhi azzurri da svenire e una gran voglia di divertirsi.

Era, manco a farlo apposta, uno dei soci più assidui del Club degli Anatri ed era uscito proprio di lì per farsi un giretto in città. Non sapeva che cosa cercava, era giovane, la vita gli si parava davanti in tutta la sua promettente e misteriosa bellezza. In particolare in quell'istante gli si era appena parata davanti (troppo davanti forse, a momenti l'ammazzava) una giovane anatrina graziosa. Come dire di no alla vita che ti offre in modo così prorompente un tal bocconcino?

Si tolse il casco, facendo di colpo fluire le sue fluenti piume bionde, e le chiese con un sorriso smagliante e furbetto:

«Crema e gianduia?»

Il giorno dopo la invitò al Club perché gli parve la cosa più naturale da fare. La portò, rombando, ai mitici «Bagni Canneto», un centro di balneazione fluviale molto esclusivo, situato nel cuore del Club e nascosto alla vista da alte canne di lago: cabine gialle, ombrelloni rossi e una lunga fila di lettini prendisole azzurri, in riva al fiume pieds dans l'eau.

Si sedettero al bar del Canneto, e si sorbirono con gusto il gelato specialità della casa, che si chiamava Coppa Cabana ed era una specie di gigantesca scodella di crema e gianduia, il tutto sormontato da panna con una banana flambée piantata nel mezzo.

Ogni tanto qualche anatro sconosciuto cercava di entrare al Canneto, ma veniva cacciato. Strano, disse lei, c'è tanto posto... Franco le spiegò che i posti sembravano vuoti, ma erano tutti occupati perché la gente si prendeva lo stagionale e poi che ci venisse o no erano affari suoi, aveva il posto pagato per tutta la stagione balneare.

« Ma se non ci vieni, cosa paghi a fare? » chiese lei, stupita.

Franco tagliò corto, dicendole che se paghi un posto senza usarlo sei il massimo, e tra loro soci del Club si fa così, se no che razza di socio del Club sei?

Venne sera. Il jukebox mandava nell'aria le note di antiche canzoni, ad esempio *I giardini di marzo* di Lucio Battisti, quella dove dice, con voce sommessa e profonda: « il carretto passava e quell'uomo gridava: gelati! »

Poi lui si offrì di riaccompagnarla a casa in moto. Uscirono a piedi dal Club, lui le chiese se aveva freddo e le cinse delicatamente le spalle con l'ala. La sbarra del Club si richiuse dietro le loro code affiancate in quel tenero, appena accennato abbraccio.

Lucio, che sdraiato sul pietrone aspettava come sempre la sua amica all'uscita, la vide sfrecciare in moto, le ali intrecciate a uno sconosciuto. E quella notte, tornando a casa tutto solo, ebbe più che mai paura di perdere la coda...

CAPITOLO DICIOTTESIMO

E rano le tre di notte quando i signori Cotter
sentirono grattare alla porta.

«Puoi andare tu?»

«No, puoi andare tu?»

Andò ad aprire madame Gru, arruffata nei pizzi e
nastrini della sua camicia notturna e con i bigodi in
testa.

«Ma non ti avevamo cacciata?» disse con voce
impastata di sonno, vedendosi ricomparire l'anatra,
la quale nulla rispose: portava stampato sul becco un
sorriso decisamente ebete e non camminava, pattina-
va leggera sul parquet come fosse un lago ghiacciato.

Madame Gru non ebbe cuore di dirle alcunché,

anche perché moriva di sonno e sentiva disfarsi i bigodi sulla sommità delle piume. La vide planare direttamente sul letto, senza neanche passare in bagno a fare pipì e lavarsi i denti.

Il mattino, stessa solfa. I signori Cotter si stavano sorbendo il cappuccino in terrazza ancora in vestaglia, quando videro una specie di silfide solcare il pavimento e approdare a lato dei loro cappuccini attoniti. L'anatra silfide non disse una parola, non fece colazione: se ne stava chiusa nel suo sorriso stampato fisso, in una sua beatitudine venata di leggera fierezza.

I due coniugi la guardavano allibiti. Il signor Cotter andò subito a prendere l'enciclopedia e per tutto il giorno vi si rintanò dentro, facendo analitiche ricerche sulle cause della sindrome da estasi negli animali palmati. La signora Cotter no; dopo colazione, passò la sua giornata in giro con le amiche come sempre e alla sera, trovando il suo bislacco marito ancora immerso nelle voci d'enciclopedia, gli disse:

«Fenny, santocielo.... Si è trovata il fidanzato, è così difficile?»

Fenny, santocielo, non aveva capito niente. Ma chiuse all'istante l'enciclopedia e, per festeggiare, portò fuori la sua consorte. Andarono a farsi una deliziosa cenetta al «Ricambio», noto ristorante della ZZL.

Il giorno dopo, madame era così felice che andò a prendere dal cassetto la mitica vestaglia fiorata del marito e decise di sacrificarla per la giusta causa: la tagliuzzò e la pieghettò e arrivò a confezionare, per la

127

sua meravigliosa figlia anatra adottiva finalmente munita di fidanzato, uno stupendo gonnellino da tennis, che chiamò «gonnellino da tennis n. 2».

Quando la propria figlia trova il fidanzato, soprattutto se è un fidanzato idoneo, è come se il mondo prendesse di colpo a girare giusto, nel senso che di colpo l'ingiustizia, le guerre, l'odio, la malattia, le catastrofi naturali e nucleari, tutto il male del mondo insomma di colpo si trovasse a sparire. Nulla di quel che ci sembrava sbagliato lo è più, e tutto improvvisamente prende la piega giusta: le auto corrono a velocità moderata, i vestiti li troviamo della taglia che ci serve, i prezzi della verdura si abbassano, i colpi di sole ai capelli vengono benissimo, il capo ci fa un aumento di stipendio e nel cielo dopo Natale passerà davvero una cometa, con tanto di coda. Insomma, un tripudio di ordine fisico e metafisico.

Per i signori Cotter iniziò una vita tranquilla e felice: la vita tranquilla e felice dei genitori la cui figlia ha finalmente trovato un fidanzato. Madame Gru prese a invitare ogni giorno le sue 32 vicine di casa, e ogni giorno diceva loro:

«Lo sapete? Mia figlia ha il fidanzato.»

Lo sapevano benissimo, ma facevano finta di no, tutte stupite e interessate a voler sapere qui, a voler sapere là.

A un certo punto, la piccola anatra smise di pattinare per aria e i suoi piedi palmati, se Dio vuole, si riposizionarono sul pavimento a zampettare come sempre. Perché poi, in fondo, ci si abitua a tutto, anche alla fortuna più smaccata.

Era molto felice di aver trovato il fidanzato, soprattutto era molto felice che i signori Cotter fossero felici. Ma smise di essere smisuratamente felice e cominciò a essere misuratamente felice. In altre parole, avviò una serena convivenza quotidiana con la propria felicità.

L'unico piccolo problema era che non sapeva tanto bene cosa farsene di un fidanzato. Ma per fortuna ci pensava Franco che, tanto per cominciare, la copriva di doni.

Un giorno arrivò in moto con una sorpresa enorme.

«Guarda un po' sul sedile dietro» le disse, e lei vide una specie di sacco di tela informe.

«Togli un po' quel sacco» le disse. Lei obbedì e si ritrovò, seduto sul sedile posteriore, un enorme orso di peluche giallo come lei, ma con le orecchie a sventola.

Un altro giorno erano a cena a lume di candela, nella loro pizzeria preferita che si chiamava «da Botolo» perché il cuoco era un botolo di pastore polacco con tanto di frangia sempre sugli occhi, che aveva studiato da pizzaiolo; non riuscendo mai a vedere gli ingredienti per via della frangia sugli occhi, ci ficcava dentro quel che capitava e veniva sempre una pizza buonissima, che si chiamava «pizza alla cieca» o anche «pizza alla botolo» che poi voleva dire la stessa cosa.

Franco quella sera si era vestito elegante, con un doppiopetto bluverde che s'intonava meravigliosamente al suo piumaggio cangiante di anatro maschio. Con fare da nulla, le accarezzò il collo dicendole:

« Ma che collino nudo abbiamo stasera, troppo nudo, non credi...? »

E con un gesto da prestigiatore abilissimo, fece comparire tra le piume della sua ala uno splendido collier di diamanti e smeraldi che le mise subito al collo agganciandoglielo dietro con mossa veloce. Le confidò poi che, per riuscire in quella mossa, aveva frequentato un corso da mago.

Franco era così. Aveva la capacità di renderle la vita una continua sorpresa, una specie di uovo di Pasqua quotidiano che tu ti ritrovi di colpo davanti e non sai mai cosa c'è dentro: la sorpresa, appunto. Non è da tutti, non è normale vivere con un uovo di Pasqua che ti piomba tra le zampe tutti i giorni e tu dici: vediamo un po' cosa ci trovo oggi.

Una sera Franco le regalò persino un nome. Era tardi e c'era la luna. Lui l'accompagnò come sempre sotto casa, scese dalla moto e, pinna nella pinna, le disse « sei la mia principessa ».

Da quella sera si chiamò così: Principessa. Princi per gli amici. Lei che, essendo figlia di una pantofola, non aveva mai avuto un nome... D'altronde, come avrebbe fatto una pantofola a dare il nome alla propria figlia?

E così, da quando aveva un fidanzato, le piombarono nella vita un sacco di cose: gioielli, peluche, pizze alla cieca, nomi, foulard, cioccolatini e gelati. Tanti, tantissimi gelati alla crema e gianduia.

Di colpo aveva una vita molto piena. Troppo piena: non sapeva più dove mettere le cose. L'orso lo mise sotto il letto, per esempio; ma quando Franco le regalò anche un canotto gonfiabile, una canoa, i pattini a rotelle, un set di valigie e un delizioso portacarretto mamma in morbida gommapiuma con bordo di polistirolo espanso, sotto il letto non ci stava più niente e lei non sapeva che fare.

Ingombrante avere un fidanzato, pensò.

«Devi regalargli anche tu qualcosa, che diamine!» le disse madame Gru. «Tra fidanzati si fa.»

Dovette impegnare sei pomeriggi per trovare qualcosa da regalare a Franco. Non ci sapeva fare con i regali al fidanzato, vagava per la città da un negozio all'altro sprecando solo fiato. Lei era felice di avere un fidanzato, ma questa storia che, se hai un fidanzato, devi anche trovargli dei regali, la sfiancava: avrebbe voluto solo stare sul pietrone con Lucio a prendere il sole, e invece la ricerca del regalo le prendeva tutto il tempo, purtroppo.

Si decise per una racchetta da tennis nuovo modello oblungo, più aerodinamico. Ma già che c'era, per non perdere ulteriore tempo in futuro, si portò avanti e prese anche un'altra ventina di regali, da distribuire per le varie ricorrenze, compleanni, ferragosti, pasque e natali, mesiversari e anniversari. Gli prese un set di asciugamanini da bagno, un walkman, un paio di calzini amaranto, un profumo alla betulla d'Oriente, una camicia sportiva con un grazioso coccodrillino sulla tasca, che le ricordava un po' Lucio.

Spese un fracasso di soldi e pensò: costoso avere un fidanzato.

Franco le dava lezioni di tennis, ogni sera al tramonto, quando tutti erano andati a casa e i campi erano deserti: così lei, che era l'unica anatra a non saper giocare a tennis, non faceva brutta figura davanti agli altri. All'inizio non prendeva una palla, e si stancava subito a correre di su e di giù per la sua metà campo. Ma Franco insisteva duro, perché non stava né in cielo né in terra che la sua fidanzata non sapesse giocare a tennis.

Le insegnò anche a nuotare, ad andare in canoa e in altalena, a scendere in apnea dieci metri, a pattinare sull'acqua planando per almeno cento metri. Un vero spettacolo.

Così lei imparò di colpo tutto quello che non solo non aveva mai imparato perché non sapeva neanche che esistesse, ma anche quello che non aveva nessuna voglia di imparare.

Alla sera, prima di addormentarsi, stringeva il suo carretto e gli diceva:

« Hai visto, mamma, quanto sport devi fare se hai un fidanzato? Forse avere un fidanzato vuol dire fare tanto sport... »

Ma lei non era sportiva. A parte andare in monopattino con il suo carretto mamma, non voleva fare nient'altro. Solo starsene sdraiata al sole come una lucertola, con il suo amico lucertolo.

Non era neanche nottambula. Non amava uscire la sera, e soprattutto non amava per niente far tardi. Le piaceva andare a dormire presto e alzarsi presto al mattino, ma come dirlo a Franco? Franco avrebbe fatto l'alba ogni volta. E così lei si trascinava tutte le notti fuori, cercando di stare il più sveglia che poteva.

Dovette imparare anche a bere qualcosina ogni tanto, soprattutto nelle seratine mondane: un dito di whisky dopo cena, ma solo quello di malto; la tequila con il sale sull'ala; l'aperol con fetta di limone e due noccioline salate, e il Martini Dry con panna liquida e bucce d'oliva triturate, che si chiamava... non si ricordava come.

Un giorno esagerò. Cominciò al mattino con un doppio di tennis, poi nel pomeriggio tuffi dagli scogli, gara di canoa con cascata, drink di metà giornata, aperitivo in terrazza con vista fiume, cenetta, whisky di puro malto, discoteca. Quando uscì dal Club alle quattro di notte, Lucio la vide passare davanti al pietrone come uno zombie.

« Qualcosa non va? »

« No no, tutto benissimo... »

E svenne.

La portarono di corsa all'ospedale, dove la tennero tre giorni in osservazione rimpinzandola di flebo. Lucio dovette spiegare ai dottori che aveva una salute di ferro, solo che la vita da fidanzata la metteva a dura prova, non aveva l'abitudine, ecco.

Diagnosticarono: stress da fidanzamento esagerato.

La dimisero con una buona cura ricostituente a base di zabaione. E lei pensò: stressante avere un fidanzato.

Da quella volta, chiese a Franco se per piacere la riportava a casa presto la sera, ad esempio a mezzanotte, perché lei si stancava e al mattino voleva alzarsi presto perché a lei piaceva il mattino, non la notte.

CAPITOLO DICIANNOVESIMO

A tennis era diventata veramente bravina, soprattutto nella volée sotto rete. Lei e Franco divennero la coppia migliore del Club e a sfidarli in gara ci voleva coraggio, perché vincevano sempre loro.

Peccato che a lei non piacesse giocare a tennis, ma che fare? Era un'anatra, frequentava il Club degli Anatri e aveva un fidanzato anatro bravissimo a giocare a tennis: cos'altro poteva fare, se non giocare a tennis?

Le altre anatre, però, cominciarono a provare un certo sottile malessere, un fastidio interiore che, anche se loro non lo avrebbero mai ammesso, assomigliava molto all'invidia. Come aveva potuto quell'anatra sconosciuta e insignificante diventare così brava? E perché Franco si era innamorato di una così insignificante che non aveva neanche un nome e cognome e non si sapeva da che parte venisse, e poi cos'era quel carretto che si tirava sempre dietro e quei gonnellini a fiori veramente ridicoli?

La verità è che ognuna di loro, più o meno segretamente, avrebbe voluto diventare la fidanzata di Franco.

Anche perché Franco, non solo era il più bell'anatro dei dintorni, ma apparteneva a una ricca e gloriosa famiglia di anatri: era infatti il dodicesimo rampollo della famiglia Fondac, una nobile famiglia tedesca che in origine si chiamava Von Duck. A un certo punto uno dei discendenti, esattamente il nonno di Franco, ebbe un'idea geniale: mettersi a costruire salvagenti a forma di anatra. Di lì a poco mise in piedi una vera e propria industria e il suo prodotto, come si può vedere ancora oggi su tutte le spiagge del mondo, ebbe un'enorme fortuna sul mercato mondiale, e il cognome tedesco della famiglia da Von Duck mutò semplicemente in Fondac, a ricordo del Fondatore.

In particolare, su Franco aveva messo gli occhi una certa Isabella, che veniva detta «Isabella la bella» perché era la più bella delle anatre del Club.

Isabella era un'anatra mandarina, di colore arancio chiaro; e nella vita voleva fare la velina acquatica. Rimaneva ore piantata davanti alla tivù del Club a guardare i varietà e ultimamente si era iscritta al Corso Superiore di Velinaggio sull'acqua.

136

Alle feste del Club voleva sempre ballare con Franco e, quando Princi si distraeva un attimo, glielo rubava, e insieme roteavano per ore sulla pista acquatica da ballo, in mezzo all'ammirazione di tutti.

Princi a quel punto si metteva buona buona in un angolo del fiume e li guardava anche lei. Cos'altro poteva fare? Lei non aveva le piume mandarine e non sapeva roteare così bene. Guardava, e si mordeva il becco dalla rabbia. Non sapeva da dove le venisse tutta quella rabbia, le veniva e basta.

Glielo spiegarono certe anatre, che formavano un gruppetto molto agguerrito, se ne stavano sempre soltanto tra di loro e non volevano maschi tra le zampe. Le dissero che lei, poverina, aveva una visione arcaica della coppia: pensava ad esempio che Franco fosse suo. Che disastro, che ottusità! Prese da una certa pena, cercavano di darle qualche consiglio, ad esempio di aprirsi e di essere molto aperta, di avere vedute più ampie, tipo coppia aperta, meglio ancora spalancata... Lei si chiudeva nelle ali, quando le parlavano così.

L'unica era sfogarsi in segreto con Lucio, il solo che la capiva veramente: anche a lui non sarebbe piaciuto per niente che la sua lucertola, caso mai ne avesse avuta una, si arrostisse al sole con un altro lucertolo! Anche lui aveva vedute molto chiuse...

Certe sere che Franco faceva tardi a forza di ballare con Isabella, lei allora si appollaiava sul pietrone con il suo vecchio amico lucertolo. Ma Lucio non sapeva proprio cosa dirle, era solo un giovane lucertolo verde che temeva sempre che la coda gli si staccasse, cosa

137

poteva mai saperne di questioni sentimentali? Le diceva il suo parere, così, quattro parole da buona lucertola e via. Tanto per consolarla, le diceva che bisogna avere fiducia nel proprio fidanzato, lasciarsi andare alla misteriosa forza dell'amore...

E lei si lasciava andare.

Si lasciò andare così bene, che non ci pensò più, si distrasse e non controllò mai se Franco vedeva o no qualche altra anatra dall'insulso nome di Isabella. D'altronde erano sempre insieme, come avrebbe potuto vedere altre anatre? Passavano le giornate al Club tra una partitina e una nuotatina, e le serate in pizzeria da Botolo. Lui la veniva a prendere e la riaccompagnava in moto tutte le sere a mezzanotte. Beveva con lui tutte le notti whisky e Martini e, a parte la stanchezza e il leggero fastidio di dover sempre far cose che non avrebbe mai scelto di fare, si sentiva una principessa.

CAPITOLO VENTESIMO

I signori Cotter passarono un ottimo inverno da « genitori di figlia fidanzata »: ogni sera la vedevano sostare in bagno un'oretta per vestirsi e truccarsi, uscire bardata a festa con veli svolazzanti e tacchi a spillo, e salire sulla rombante moto fiammante di Franco il rampollo, che ogni sera la attendeva al portone.

Ogni domenica invitavano a pranzo Franco il rampollo, facendo preparare da Fru Lin i suoi meravigliosi Fru-flan di spinaci e pecorino. Ogni dopopranzo il signor Cotter si fumava un buon sigaro con il futuro genero, tutti e due seduti in poltrona davanti al camino parlando di borsa e finanza, mentre la signora

Cotter confezionava gonnellini da tennis uno via l'altro per il futuro corredo, denominandoli rigorosamente: «gonnellino da tennis n. 4», n. 5, n. 6 e via così, per tutto l'inverno.

Poi arrivò di nuovo l'estate perché, come abbiamo già detto, le estati si susseguono implacabili nella vita. E, come tutte le estati, si avvicinava l'evento più importante della stagione: il mitico Torneo «Una racchetta per l'estate» con relativa Serata Danzante Finale.

Tutte le anatre del Club facevano a gara non tanto per vincere il Torneo, quanto per trovarsi il vestito migliore per la Serata. Anche se era la vincitrice che doveva, più di ogni altra, cercare di procurarsi l'abito migliore.

Per colmo della sorte, fu proprio Princi a vincere il Torneo.

«E certo» dicevano le anatre del Club, «con tutte le lezioni che le dà Franco, vorrei vedere...»

«E certo, bella forza, anche noi saremmo bravissime!»

Le anatre invidiose, capeggiate da Isabella la bella, avevano da tempo cominciato segretamente a prendere informazioni su Princi; era troppo misteriosa quella loro nuova socia, piombata nel Club così, dal nulla. Chi era veramente? Da dove veniva? Che cosa era venuta a fare?

Avevano costituito una vera e propria Agenzia Investigativa e, proprio nei giorni precedenti la Gran Serata, erano riuscite a raccogliere qualcosa di croc-

140

cante intorno al mistero di Princi, qualcosina di molto croccante che loro, perfide e astute, lasciavano vagamente croccare nell'aria, senza far trapelare nulla di preciso. Così che un greve Mistero aleggiava sopra i preparativi della festa.

Princi intanto era alle prese con l'abito nuovo. Silvitz, l'amica del cuore di madame Gru, questa volta aveva fatto di testa sua e aveva ordinato al suo sarto di confezionarle un abito color ciclamino, perché (non si capiva perché) secondo lei il colore della vittoria era il rosso ciclamino e, siccome Princi aveva vinto il Torneo, non poteva che vestirsi di rosso ciclamino. Come cappellino consigliava un baschetto verde prato con dei piccoli ciclamini veri infilati nel panno. Nessuno ebbe la forza di opporsi. Madame Gru, poi, adorava talmente la sua amica Silvitz che, avesse anche ricoperto l'anatra con un boschetto di funghi porcini, a lei andava benissimo. Cosa fa a volte l'amicizia!

La sera della Grande Festa, che si tenne au bord du fleuve, tra candele accese, lampioni cinesi, festoni e fuochi d'artificio, tutti erano pronti per il Grande Ballo. Mancava solo lei, la vincitrice del Torneo, che doveva apparire per ultima in alto sullo scalone, per dare inizio alle danze.

Allora cominciò, prima piano e poi sempre più forte, un sottile borbottìo di frasi dette e non dette, poi sempre più dette; un serpeggìo di voci cattive, un mormorìo di malignità, uno strisciante svelenìo di allusioni: erano le anatre dell'Agenzia Investigativa che, capeggiate da Isabella la bella, stavano divulgan-

141

do a man bassa le terribili notizie segrete che da mesi andavano raccogliendo su Princi.

«Hai saputo?»

«Certo che ho saputo!»

«Tutti sappiamo.»

«Ma dimmi...»

«Non sai?»

«Che cosa?»

«Che è figlia...»

«Figlia?»

«Di una pantofola!»

La verità aleggiò agghiacciante per tutta la sala:

MA LO SAPETE CHE PRINCI
È FIGLIA DI UNA PANTOFOLA?

«Di una pantofola?»

«Di una pantofola!»

«Ma chi te l'ha detto?»

«Eh, si sa...»

«Eh, la voce...»

«... gira.»

«Eh, gira la voce...»

«... in certi ambienti...»

«... che...»

«Che!»

Fu così che quando lei comparve in alto sul grande scalone d'entrata, con il suo splendido vestito rosso ciclamino e il praticello di ciclamini in testa, tutta la sala scoppiò in una incontenibile, clamorosa risata che sconquassò i muri, fece tremare i lampioni cinesi e increspare le onde del fiume.

C'era gente che si piegava in due, gente che lacrimava come una fontana, gente che ormai al suolo si dimenava schiacciandosi la pancia per non ridere o, almeno, ridere un po' meno. Isabella e il gruppo Investigazione se la ridevano sotto le piume, in un angolo della sala: missione compiuta! E brindarono tra di loro, fiere del proprio operato. Isabella la bella, soprattutto, gongolava dentro di sé, molto soddisfatta. E cercava con gli occhi il bel Franco, facendogli dei sorrisini ammiccanti.

Princi rimase di sale. Si fermò. Si bloccò come una statua di fuoco in alto sullo scalone, non iniziò neanche a scendere. Fece solo una cosa: chinò il becco e si guardò il vestito. Lo trovò orribile. Si sentì bruttissima. Tutta, dalla testa ai piedi. E divenne rossa. Rossa ciclamino fino alla punta delle piume.

Franco invece non fece neanche una piega. Salì lo scalone, prese sotto braccio la sua Princi e la fece ballare per tutta la sera, consolandola ogni tanto con tenere parole, del tipo: non te la prendere, sei la mia principessa, cosa te ne importa degli altri...

A mezzanotte, come sempre, si offrì di riaccompagnarla a casa. Scendendo dalla moto, colse un piccolo ciuffo di nontiscordardimé e glielo regalò con un bacino affettuoso sulla guancia.

Principessa pensò che era davvero fortunata ad avere un fidanzato così. Una volta a casa, depose il suo bel vestito ciclamino nell'armadio, rimase un po' alla finestra a guardare le stelle, pensò a sua madre che chissà dov'era e chissà se mai l'avrebbe rivista, poi andò a dormire e fece sogni abbastanza sereni.

P rincipessa non sapeva che Franco, dopo averla accompagnata, tornò alla Festa e ballò tutta la notte fino all'alba con Isabella la bella.

Principessa non sapeva che da mesi Franco era fidanzato anche con Isabella la bella. Principessa non sapeva niente.

Non sapeva che Franco vedeva Isabella di nascosto, ogni volta che poteva, cioè tutte le notti dopo la mezzanotte. Riaccompagnava lei a casa e poi ritornava di corsa al Club, raggiungeva Isabella e ballavano sull'acqua tutta la notte, finché il mattino non li sorprendeva abbracciati su una sdraio esclusiva dei Bagni Canneto.

Che dire? Franco era un giovane bello, ricco, simpatico: voleva vivere e amare. Amava due anatre, è vero, ma che male c'è? Non sapeva scegliere, tutto lì. D'altronde, Princi voleva sempre andare a dormire così presto, diceva che era stanca, che voleva alzarsi presto, che a lei piaceva il mattino, non la notte. Ma la notte... La notte è così lunga, la vita è così breve.

Gli amici non dissero mai niente a Princi. Lo sapevano tutti, di Franco e Isabella, ma come dirglielo? E poi, in fondo, erano amici di Franco, non suoi. Lei non aveva amici...

Lo venne a sapere da sola, per caso. Era andata dal parrucchiere a tagliarsi le piume e sentì che raccontavano di un certo anatro che era da mesi fidanzato di due anatre contemporaneamente.

« Ma come è possibile? »

« Me lo chiedo anch'io... »

« È possibile sì. Pare che questo anatro sia abilissimo, pensate che lei, la fidanzata numero 1, ha sempre pensato di essere l'unica... »

« Ma come diavolo si fa? »

« Eh, la classica doppia vita... »

« Eh d'altronde, poverino, dice che lui non ce la fa a scegliere... »

« Bel furbone! »

« Ma no sai, a volte non è così facile... Gli piacciono tutt'e due, poverino! Una è davvero molto bella, pensa che studia da velina. L'altra non è un granché, ma sai, pare sia tanto simpatica! »

« Ma come si chiama questo fenomeno d'anatro? »

« Sai il giovane rampollo dei Fondac... Franco. »

145

« Franco? »

« Franco! »

E giù tutti a ridere.

« Ma bravo, che bel nome! Molto franco davvero... »

L'ultima notte che la videro, stava sul pietrone d'ingresso del Club, distesa piatta accanto al suo amico Lucio, come a prendere il sole. E invece non c'era neanche la luna.

« Mi avevi detto che dovevo crederci... »

Lucio stava zitto.

« Che dovevo abbandonarmi alla forza misteriosa... »

Lucio stava zitto.

« E invece non sai niente di niente, sei solo uno stupido lucertolo pieno di stupide paure! »

È sempre così, ce la prendiamo solo con chi ci vuol bene.

Lucio era disperato per la sua amica, gli era persino passata la paura di perdere la coda, non gli importava più, anzi, gliel'avrebbe volentieri regalata la sua coda, le avrebbe detto: non so cosa fare per te, ma se ti serve, prenditi pure un pezzo della mia coda, chi sa mai che... Chi sa mai che cosa? A cosa può mai servire un pezzo di coda di lucertola?

Ma ci sono momenti che davvero non sai cosa fare, e ti appigli a quel poco che hai. Se hai una coda, ti appigli a un pezzo di coda.

« Sai qual è la cosa più grave, Lucio? »

«No, qual è?»

«È che mi sembra di non saper più contare. Adesso per esempio quanti siamo io e te? Siamo due? Vedi qualcun altro? No, non c'è nessuno. E invece magari siamo in tre, o in quattro o in otto, chi lo sa, Lucio, chi lo sa?»

Stava urlando. La sua amica stava urlando e lui temeva anche che potesse diventare pazza, perché quando uno non sa più contare non è un bel segno. Non sapeva cosa fare.

L'unica era aspettare. Lucio aveva saputo da poco che la coda, se te la spezzano, poi ti può ricrescere. Ci vuole solo tempo. Lo aveva saputo da poco e gli era cambiata la vita: di colpo era diventato grande. Forse diventare grande è solo questo: sapere che la coda ti può ricrescere.

Avrebbe voluto dirlo alla sua amica che adesso le sembrava tutto orribile perché era come se le avessero spezzato la coda, ma che poi, ci voleva solo tempo...

Solo che il brutto del tempo è che deve passare e, per passare, ci mette sempre un bel po'... di tempo. E Lucio non sapeva proprio dirle dove passare tutto quel tempo che la coda ci avrebbe messo a ricrescere.

Era il cosiddetto «problema dei lucertoli»: quando ti spezzano la coda, dove vai ad aspettare che ti ricresca? Ti nascondi e stai nascosto fino a che non hai la coda nuova, o fai come se la coda ce l'avessi ancora e dici che non t'importa niente se ce l'hai o non ce l'hai?

Come si fa, eh? Come si fa?

8

VOCI DAL SOTTOMONDO

E ra ancora estate, ma si sentiva già l'aria frescolina autunnale. I primi temporali, le prime foglie che cadono.

L'anatra se ne andò una giornata di vento, facendo finta di essere una foglia e lasciandosi portare.

Camminò per giorni e giorni. Attraversò, portata dal vento, la ZZL, i condomini, le pecore, la City, le strade, i portici, le case, i bar, i grattacieli, il Club, i campi da tennis, il canneto, il lago e andò sempre più in là, per mesi.

Arrivò in una terra completamente deserta. Non c'era niente ed era tutto color marrone chiaro: una terra brulla, arida, battuta dal vento.

Lì decise che si sarebbe fermata e si trovò una specie di nido, dentro il tronco di un albero secco. Dal buco che le faceva da porta, guardava fuori il vento e basta.

Ogni tanto passava di lì qualche animale gentile, ad esempio una puzzola o un'iguana, che le diceva:

«Ciao, come ti chiami?»

«Non mi chiamo più» rispondeva lei, che non poteva certo più chiamarsi Principessa. Principessa per chi?

Poi non passò di lì più nessuno, perché ci si stanca di passare davanti a qualcuno che non ha voglia di parlare e ti risponde solo con truci grugniti.

Lei ogni tanto usciva dal nido e si guardava intorno. Non vedeva nulla, solo terra davanti a sé, praterie senza erba, colline e un orizzonte lontano, celestino.

Passò molto tempo così, forse anni. Perché, come diceva Lucio, ci vuole tempo perché la coda ti ricresca.

Intanto le pareva di sentire una strana voce intorno, flautata, sommessa. La sentiva spesso, ogni volta che se ne andava in giro in quel deserto, tutta sola. All'inizio le sembrò di diventare pazza, poi pensò che forse era la voce del vento. Ma con il tempo imparò ad ascoltare meglio e capì che c'era veramente qualcuno che sembrava parlottare di continuo, anzi, erano tante voci, sommesse, cantanti, come una specie di coro. Sembrava raccontassero qualcosa, ma lei non capiva bene, riusciva a isolare una parola ogni tanto, di cui non era nemmeno sicura. E soprattutto non vedeva nessuno.

Poi cominciò a notare della terra smossa intorno a lei. Erano collinette che formavano lunghe linee, diritte o curve o diagonali, e si diramavano ovunque, anche lontano. Imparò a seguire quelle linee, a vedere dove portavano. Non portavano da nessuna parte, si perdevano. Non capiva, ma le tenevano compagnia. Probabilmente le voci venivano da quelle collinette di terra smossa, lì sotto abitava qualcuno. Ma chi?

Si abituò alle voci. Si sedeva sul prato e ascoltava quei cori cantilenanti e dolci che sembravano venire da un altro tempo.

Finché un bel giorno trovò la sua insalata... da un'altra parte. Chi gliel'aveva spostata?

L'insalata era tutto quel che aveva. Stufa di quel deserto intorno, lei si era messa a coltivare qualche erbetta per farsi una insalatina ogni tanto, o una frittatina verde. Ad esempio aveva piantato degli stupendi cespi di lattuga, tutti belli in fila ordinati, e ogni tanto verso sera se li rimirava felice pregustandosi l'idea di farsi un bel piattino di lattuga condita olio e limone. E invece quel mattino andò per bagnare il suo orticello e non trovò più niente! La sua insalata era andata a finire sull'altro versante della collina, lontana e tutta con le radici per aria. Altro che frittatina!

Questa cosa la turbò non poco. Pensò che non poteva più, di fronte alle misteriose gallerie, fare finta di niente, doveva andare a fondo. Molto a fondo: si mise a scavare dentro quelle collinette di terra smossa. Scavò tutto il giorno, un po' di qua e un po' di là, a caso. Sperava ogni volta di beccare l'abitante sotterraneo, ma niente, le veniva sempre su soltanto terra. Terra e terra.

Eppure qualcuno viveva là sotto, ne era certa, perché ogni giorno c'erano gallerie nuove, che la sera prima non c'erano. Chi le scavava? Decise di piazzarsi in un punto speciale, al crocicchio di più gallerie, e lì rimanere tutto il giorno di vedetta: prima o poi sarebbero emersi a prendere aria, no?

Notò che di ora in ora la linea delle gallerie si allungava e la stava circondando ad anelli concentrici. Ma non riusciva mai a vedere chi e come e quando esattamente smuoveva la terra. S'impegnò molto, tenne gli occhi fissi su ogni metro quadro, era certa che qualcuno a un certo punto sarebbe fuoruscito. Invece no. Nessuno.

Allora decise di rivolgere la parola a quegli esseri invisibili. Non ci aveva mai pensato fino a quel momento, perché in genere è così: non ci viene di parlare, se non vediamo nessuno.

«Ehi, voi, dove diavolo siete?» chiese.

Silenzio totale. Solo il vento imperterrito che spazzava la terra. Naturale, pensò: se non vedo nessuno, vuol dire che non c'è nessuno; e se non c'è nessuno, chi vuoi mai che mi risponda?

E invece la vita non è mai così... geometrica: dopo un po' sentì una risposta. Era il solito coro cantilenante, che però questa volta scandiva parole chiare, diceva:

«Sottoterra... terra...»

«O bella! E che ci fate lì sotto?»

«Viviamo... amo...»

«E non potreste vivere sopraterra, come tutti?»

«Non possiamo... amo...»

Perché no?

Silenzio, deserto. Solo il fischio acuto del vento tra le rocce.

«Siamo talpe...»

«Talpe, talpe, talpe...»

Rispondevano in coro, cantilenando.

Chi mai erano le talpe?

Lei non sapeva niente delle talpe, per lei era solo una parola e basta. E come tutte le parole che non conosciamo, non le diceva proprio niente.

Allora chiese loro se per piacere venivano fuori e si facevano vedere:

«Va bene, anche se siete talpe, fatevi vedere.»

«Non possiamo farci vedere... ere...»

«Non possiamo, non possiamo, non possiamo...»

«Perché?»

«Perché siamo talpe... alpe...»

«Ho capito, ma vi ho già detto che non importa: anche se siete talpe, venite fuori un momento, così vi vedo, no?»

«Non possiamo venire fuori un momento... ento...»

«Perché?»

«Perché viviamo sottoterra... terra...»

« ... e vivete sottoterra perché siete talpe, ho capito, ma così non se ne esce! »

« Appunto, non se ne esce... esce... »

Silenzio. Solo il vento che spazzava le colline, i prati senza erba, le gallerie delle talpe.

C osì come avevano detto, le talpe non uscivano mai dalla terra, stavano nel loro beato
sottomondo e scavavano solo gallerie, di
continuo. Lei rimaneva ore a fissare ognuna di quelle zolle smosse, ma non riusciva a beccare neanche
una talpa in uscita. E come si fa? Uno deve pur
mettere il naso fuori ogni tanto, pensava.

A forza di andare, però, si affezionò a quelle crea-
ture che non spuntavano mai: le tenevano compagnia,
parlavano con lei tutta la giornata, le divennero amiche. Certo, uno preferirebbe vederli gli amici. Ma
non si può avere tutto nella vita: è già molto avere

degli amici, e se non si riescono a vedere pazienza, uno può sempre immaginarseli.

Una volta che era particolarmente triste, chiese loro se non potevano per caso mettere la testolina fuori anche solo un attimo, così si conoscevano meglio. Le talpe ci misero molto a rispondere, era come se avessero un segreto triste che non volevano svelare. Ma poi alla fine dissero:

«Noi abbiamo gli occhi ciechi... echi...»

«Se anche uscissimo a vederti, non ti vedremmo...»

«Noi non vediamo niente... niente...»

Non ci aveva mai pensato, ma era ovvio: cosa se ne fanno degli occhi le talpe? Tanto vivono sottoterra, non devono vedere niente. Era ovvio, ma ne ebbe una gran pena. Pensò che si perdevano il cielo, le nuvole, il colore del vento...

Siccome non potevano vederla, le talpe non le chiesero mai che animale fosse. Non gliene importava niente perché, non avendo gli occhi, non avrebbero potuto constatare che quel che lei diceva di essere era vero. Lei poteva dire: sono un leone, uno scarafaggio, un elefante indiano, un pappatace... Erano solo parole, che per gente senza occhi non corrispondevano a un bel nulla. Quindi, non le chiesero mai niente.

E lei, siccome viveva con gente che non le chiedeva mai niente su chi fosse o non fosse, smise di essere un'anatra.

Se lo dimenticò, ecco.

Tanto, non era stata una gran cosa essere un'anatra: proprio quando aveva scoperto chi era ed era andata nel mondo giusto, fatto di gente come lei, proprio lì era stata tradita.

Tradita... usava spesso questo verbo, che la faceva soffrire.

«Sapete che sono stata tradita?» diceva alle talpe, e ogni volta raccontava di Franco, di come si erano fidanzati e di come lui l'aveva tradita con Isabella la bella, senza che lei manco lo sospettasse.

Essere traditi vuol dire proprio questo: che tu non ti accorgi di niente, non pensi di essere tradita e invece lo sei! Così spiegava alle sue amiche talpe, perché era convinta che loro, vivendo là sotto nelle loro stupide gallerie, nulla potessero sapere di fidanzati, isabelle e tradimenti. Come se, vivendo sottoterra, uno non potesse benissimo tradire ed essere tradito!

Ma lei cosa sapeva del mondo delle talpe? Niente, e le talpe la lasciavano dire. Impararono quella parola e gliela ripetevano ogni tanto. Lo facevano per tenerle compagnia, ma in realtà senza volerlo le rinnovavano il dolore:

«Tradita... ita... ita...»

A poco a poco si convinse di non essere un'anatra. Se lo andava ripetendo tutti i giorni ad alta voce: forse non sono un'anatra. Cioè, non sono anatra come lo sono le anatre che ho visto nel mondo degli anatri. Se lo fossi, mi sarei trovata bene con loro. Se non mi sono trovata bene con loro, vuol dire che non sono come loro.

159

O forse non basta essere un'anatra, per trovarsi bene con le anatre...

Oppure sono stata un'anatra, ma adesso non lo sono più...

Avvolta in queste circolari domande come nelle spire di una serpe, passava poi a ispezionarsi nei dettagli. In fondo, si chiedeva, cosa aveva mai di così assolutamente anatresco che la obbligava a essere soltanto un'anatra?

Si guardava ad esempio le zampe. È vero, aveva zampe palmate, era innegabile questo; per quanto le osservasse attentamente, non c'era scampo: tre dita, e in mezzo una tendina di pellame sottile e trasparente. Per quanto uno si sforzi di negare l'evidenza, se ha le zampe palmate, ha le zampe palmate. Ma che questo voglia dire inesorabilmente essere un'anatra, ebbene no! Quanti animali hanno le zampe palmate? Non avrebbe saputo dire quanti e quali, ma di sicuro non solo le anatre.

Certo, non aveva zampe unghiate. E nemmeno prensili. E nemmeno pelose. E nemmeno quattro... Diciamo che aveva un'unica certezza: quale animale non era. Ad esempio non era un ghepardo, non era una zanzara, non era una giraffa, non era un barracuda, non era uno scimpanzé... Aveva due zampe. Palmate. Due pinne, d'accordo, e con ciò?

Ma allora chi sono?, finiva sempre cól chiedersi. Insomma, non si andava né avanti né indietro.

Le talpe ormai la lasciavano vaneggiare e non le dicevano nulla; e se lei avesse potuto osservarle sottoterra, avrebbe visto che facevano spallucce ogni volta che lei lanciava in aria quella solita stupida domanda sul chi sono qua, chi sono là.

La verità è che alle talpe era del tutto indifferente chi lei fosse; non la vedevano, però si erano molto affezionate a lei e quindi per loro lei poteva essere qualsiasi animale, le volevano bene lo stesso.

Le talpe, a essere precisi, hanno due caratteristiche: non vedono e non sono viste. Quindi anche loro possono essere, per noi che non le vediamo, qualsiasi animale: perché, se tu non vedi mai qualcuno ma proprio mai mai, te lo puoi immaginare come vuoi, anche con la faccia da tigre e le zampe da ornitorinco, se vuoi!

L'anatra dunque *non era vista* dalle talpe e quindi per loro poteva essere qualsiasi animale; ma anche, lei *non vedeva* le talpe e quindi per lei le talpe potevano avere qualsiasi aspetto (anche il suo!). Motivo per cui cominciò a sentirsi uguale a loro, cioè una talpa.

Il guaio era che non lo poteva più dire. Non era più come una volta, che lei poteva credere di essere un animale o un altro, un castoro o un pipistrello per esempio. Adesso non poteva dire di essere una talpa, perché sapeva di essere un'anatra. Era orribile: quel giorno a scuola i bambini, quando le dissero che era un'anatra, la inchiodarono per sempre a quel che era: un'anatra. E di lì non si scappava più.

Non poteva essere una talpa.

Però non si sentiva un'anatra.

Fu così che cominciò a pensare di non essere niente.

Non sono questo, non sono quello. Dunque, non sono... nessuno.

Ripensò a tutta la sua vita. *Non* aveva trovato sua madre pantofola, *non* aveva sposato un castoro (che poi era l'unico castoro a *non* voler fare il castoro), *non* era diventata un pipistrello, *non* viveva con le gru, *non* aveva più un fidanzato...

Si accorse che la sua vita era stata una serie di *non*. Non aveva nulla, e non era nulla.

Quando finalmente acquisì questa certezza, divenne nessuno. Cioè qualcuno non si sa bene cosa. Si tolse il pensiero di essere qualcosa di specifico e fu semplicemente qualcosa di indefinito: nessuno. Che poi sarebbe quel che saremmo tutti quanti, se solo vivessimo in un mondo di talpe: se la gente non ci vedesse, noi potremmo felicemente non essere un bel niente e non stare neanche tanto a chiedercelo, che cosa siamo o non siamo. Bisognerebbe solo che la gente tenesse gli occhi chiusi. O che tutti quanti vivessimo nel mondo delle talpe. Semplice!

Questo pensiero di non essere nessuno, la tranquillizzò non poco. Le diede un grande senso di pace e di liberazione: cominciò ad andare per strada volando a un metro da terra. Cosa che le permise di accorgersi di avere le ali. Cosa di cui, presa dall'ansia di essere qualcuno, non si era mai accorta.

Era come se di colpo si fosse ricordata di una cosa importante. Le aveva viste tanto tempo fa, le ali, sulla foto del libro che la maestra Tolmer le aveva mostrato a scuola. Aveva a lungo rimirato quella foto, se n'era

162

fatta una fotocopia e se l'era studiata per bene, ma poi, chissà perché, se n'era dimenticata.

Si ricordò d'aver letto che le anatre, se vogliono, possono volare molto lontano, anche fino in Africa, se vogliono. Lei non voleva andare in Africa, voleva solo volare un po'. Non era più convinta di essere un'anatra, però, essendosi ricordata di avere le ali, un bel giorno cominciò a volare.

Volava un poco tutti i giorni, ogni volta facendo un tratto più lungo. Volare le sembrò la cosa più naturale del mondo, e si stupì di non averlo fatto prima.

Volò fino al mare e, quando lo vide da lontano, le sembrò la cosa più bella che le fosse capitata nella vita. Ci volò sopra per giorni, riempiendosi gli occhi di azzurro.

Ecco, pensò, se non mi fossi accorta di non essere nessuno, non mi sarei mai ricordata di avere le ali. E se non mi fossi ricordata di avere le ali, non avrei mai incontrato il mare.

9

SUL MARE VIVEVA...

Sul mare viveva uno strano individuo. Lei lo guardava da lontano. Si era affittata una casa proprio sulla cima della collina, con un enorme finestrone vista mare. Di lì guardava ogni giorno lo strano individuo, indecisa se avvicinarsi o no.

Visto così da lontano, era un tipo alto magro allampanato color grigio, e con un profilo appuntito. Le sembrava anche che avesse una coda, ma non ne era certissima. Decise di stare a osservarlo per un certo tempo solo da lontano.

Vide che viveva un po' sul mare dentro una sua barchetta con la vela, e un po' sulla spiaggia in una tana segreta di cui si scorgeva solo il buco d'entrata. A volte portava un berretto con la visiera per ripararsi dal sole. A volte aveva la maschera da sub, il boccaglio, le pinne e la cintura con i pesi.

A volte invece si metteva gli occhiali e se ne stava seduto davanti al mare ad armeggiare con le sue canne da pesca, e allora di solito indossava una maglietta a righe, i calzoncini corti e uno strano paio di sandali. Portava sempre i sandali. Sembrava un frate.

L'anatra decise di scendere a vedere chi era, e gli arrivò a due metri di distanza. Lo vedeva di spalle, chino su una lenza. Le sembrò che quel signore stesse parlando... alla sua canna da pesca, ma non ci fece troppo caso.

«Scusi, signore...» lo chiamò.

Quel signore si volse e lei, con sorpresa, lo riconobbe.

«Il lupo di città!» urlò.

Si trattava infatti proprio di quel lupo che lei aveva incontrato una volta in città, sotto i portici, quando cercava di sfuggire agli struzzi di madame Gru.

«L'anatra in monopattino!» le urlò a sua volta lui, incredulo e frastornato, facendo cadere nella sabbia la sua canna da pesca.

«Assolutamente no» rispose lei trionfante, «non sono più quella!»

Il lupo la guardò attentamente. Era lei, proprio quella deliziosa anatrina che gli era capitata quasi sulle zampe un mattino di primavera tanti anni fa, quell'anatra dalle piumette arruffate che lui si era incautamente lasciato sfuggire. Era solo un po' più... un po' più marrone, ecco, un po' meno gialla, ma era lei di certo. Rimase pertanto colpito da quella risposta sconcertante, e le chiese:

« E chi saresti, dunque? »

« Nessuno! » disse lei con fierezza e allegria, felice di poter dire che aveva smesso di essere un'anatra ed era diventata non si sa cosa esattamente.

Il lupo al momento rimase un po' perplesso. Raccattò la canna da pesca, la pulì dalla sabbia, la guardò attentamente, forse le fece una specie di carezza, poi riavvolse il filo al mulinello e la ripose accanto a un grosso cesto.

A quel punto confidò a se stesso: magnifico, avevo proprio bisogno di... nessuno!

Si deve sapere che il lupo, a forza di andare tutti i giorni in biblioteca, in tutti quegli anni aveva finito di scrivere il libro. Anzi, ne aveva scritti altri tre. Ma poi, siccome tutti i nodi vengono al pettine, anche il suo nodo era venuto al pettine e lui a un certo punto non poté più far finta di niente.

Il nodo del lupo era che, appartenendo alla razza Lupo Solitario, era molto solo. Il fatto di scrivere libri non lo aiutava molto, perché i libri si scrivono soltanto in solitudine; anzi, se non sei solissimo, non ce la fai a scrivere. Non s'è mai vista infatti una combriccola di gente che si metta a scrivere. Una combriccola di gente può fare mille altre cose, tipo andare ai cortei con le bandiere e gli striscioni, fare i picnic la dome-

169

nica, andare a sciare a Natale, passare le vacanze estive nei villaggi turistici con l'animatore, passeggiare il sabato pomeriggio in un centro commerciale. Può fare queste e altre mille cose, ma non scrivere un libro.

Quindi il lupo, con il suo nodo al pettine ormai evidente, lasciò la città con la biblioteca e, senza più nascondersi tra la folla ma prendendo finalmente com'è giusto il suo destino su di sé, andò a fare quel che era, e cioè il Lupo Solitario. E si scelse, per far ciò, un luogo deserto. Infatti deserto e solitudine sono in genere due parole che vanno piuttosto bene insieme, anche se non sempre è detto: i deserti possono essere anche molto affollati e le folle molto solitarie.

Solo che il lupo non era così contento di essere un Lupo Solitario: soffriva di solitudine.

E molto spesso in quegli anni gli era accaduto di ripensare all'anatra in monopattino e a come sarebbe stata la sua vita se quel giorno le avesse impedito di prendere il taxi. Ripensava a lei, ma non così tanto da prendere e andare a cercarla: era pur sempre un Lupo Solitario e quindi se ne stava solo.

Si era fatto una comoda tana davanti al mare e l'aveva arredata con vecchi mobili di campagna; s'era comprato una barca a vela, qualche canna da pesca, un cesto dove tenere i vermi, un secchiello per i pesci che riusciva a pescare, e un bel barbecue dove cucinarli la sera accendendo un buon fuoco; infine, sul prato davanti alla tana, aveva messo un tavolino di ferro smaltato giallo con una sedia uguale, ed era proprio lì che l'anatra lo aveva trovato seduto, mentre stava parlando alla canna da pesca.

Sì, perché era proprio così: il lupo era così solo che a volte si metteva a parlare alle sue canne da pesca, ad esempio mentre attaccava l'esca alla lenza, due chiacchiere da niente, tanto per fare.

Non aveva bisogno di nessuno. Questo si continuava a dire tra sé e sé: che non aveva bisogno di nessuno. Però, intanto, parlava con le canne da pesca; e se uno parla con le canne da pesca, non è mai un buon segno. Perciò, quando l'anatra gli disse che lei era nessuno, il lupo ne fu infinitamente felice e pensò che era proprio quel che ci voleva per lui.

Infatti era pur vero che non aveva bisogno di nessuno, però si sentiva solo.

Quindi desiderava la presenza di qualcuno.

Però non voleva nessuno.

Un qualcuno che fosse nessuno era dunque perfetto.

Quell'anatra poi, con quel piumaggio così colorato, con quella morbidezza di piume su cui, a dire il vero, egli già in quel primo incontro aveva almanaccato non poco nel torbido della sua mente lupile, era un vero regalo della sorte.

Il lupo questa volta non se la lasciò scappare. La invitò subito a fare un giro in barca e se la portò a veleggiare in mezzo al mare per tutta la giornata, pescandole qualche buon pesce che la sera, sulla spiaggia davanti al fuoco, le cucinò alla griglia con il sale e il rosmarino.

Il lupo era un gran cucinatore di pesce alla griglia.

171

D a quel giorno, si frequentarono spesso. Lui ogni tanto la invitava nella tana, metteva una bella tovaglia a quadri sul tavolino giallo e si mangiavano qualche buon pesce alla griglia. O anche pane e salame, perché le tovaglie a quadri su un prato si abbinano volentieri ai panini al salame; e anche alle uova sode, soprattutto se è Pasqua.

Poi andavano a passeggio. Raggiungevano la cima delle colline e lì si fermavano a guardare il mare da lontano.

Il mare da lontano non è come il mare da vicino: è fermo, ed è più grande. Sembra finto. Non fa odore e non fa rumore, e così si può pensare di esserselo sognato. Poi si scende fin giù a vedere se invece esiste per davvero e, quando si scopre di sì, che il mare c'è, è lì davanti e ha odore di mare, fa le onde e gli spruzzi e dentro ci sono anche i pesci, allora si è veramente felici. Come quando scopri che quel che hai sognato non era un sogno, era vero.

Ma per provare questa felicità, devi aver pensato, anche solo una volta, che era tutto finto. Devi vederlo anche solo una volta, il mare da lontano.

Un giorno il lupo le disse:

«Dovresti volare un po', ogni tanto.»

Già, l'anatra non aveva più volato, dal giorno che aveva scoperto di avere le ali ed era arrivata fino al mare. A volte nella vita ci si ferma, e a lei era successo: di colpo si era fermata. E non se n'era nemmeno accorta.

Si era anche dimenticata delle sue amiche talpe, non aveva più dato notizia di sé, niente. Quel lupo le aveva lavato via il passato e lei si sentiva appena nata, come tanto tempo fa, quando viveva al caldo della sua mamma pantofola.

Ma adesso il lupo le consigliava di farsi un voletto ogni tanto. Gentile!

«E se ho le ali arrugginite?» gli chiese. Ma era una scusa, in realtà non aveva nessuna voglia di muoversi.

«Almeno provale...» le rispose il lupo, al quale dispiaceva che la sua anatra non usasse quel che aveva a disposizione, ad esempio quel suo bel paio di ali.

173

Così un bel giorno, per assecondare il lupo, l'anatra ricominciò a volare.

Volò per un breve tratto, così, tanto per dimostrargli che seguiva i suoi consigli. Ma subito ci riprese gusto: volare era proprio una bella vita, uno non pensava più a niente, c'era l'aria che ti portava e tu ti lasciavi portare.

Decise di arrivare dalle talpe, così le avrebbe salutate. E percorse a ritroso tutti i mondi che aveva attraversato. Volò sopra il lago dei Castori, la City dei Pipistrelli, la ZZL con i lunghi condomini grissino, il Club degli Anatri con i Bagni Canneto... Vide anche un paese a cui si arrivava da una strada tutta curve, e all'ultima curva, in fondo, vide un bidone della spazzatura che le ricordava qualcosa, ma non sapeva cosa.

Da lassù, ben sospesa nel cielo, scoprì una verità che la stupì non poco. Scoprì che tutti i mondi che aveva percorso fino ad allora, erano riuniti tutti insieme lì sotto, vicini uno all'altro... in uno sputo di spazio! Ebbene sì, si accorse che era tutto lì. E che non c'erano tanti mondi, ma uno solo, piccolissimo. Chissà perché le era sembrato così grande...

Quando arrivò dalle talpe, aveva uno sguardo perduto e triste. Meno male che le talpe non potevano vederla. Annunciò loro che aveva conosciuto un lupo, e le talpe fecero un lungo: oh... oh...! pieno di stupore.

Aveva come la sensazione che non ne sapessero niente di lupi, e allora pensò di descriver loro il suo lupo nei particolari. Cominciò dal pelo irto sul petto, passò per la coda lunga e spazzolante e arrivò agli occhi color grigiolupo, buoni e gentili.

Poi le salutò. Le talpe erano molto tristi che lei se ne andasse di nuovo, le sembrò quasi di sentirle piangere.

Tornata a casa, riposò le ali e sorrise. Adesso sapeva una cosa. Sapeva che non voleva andare lontano. Sapeva che non sarebbe mai andata per esempio fino in Africa, dove aveva letto che arrivano le anatre nei mesi freddi. Volendo avrebbe potuto andarci eccome, in Africa; aveva provato le ali, erano robuste: ce la poteva fare benissimo a raggiungere le terre lontane.

Ma non voleva. Aveva un dubbio che le pungeva un po' l'attaccatura delle ali: se il mondo piccolo in cui era vissuta le era sembrato così grande, chissà quanto piccolo le sarebbe parso adesso il mondo grande!

Questo dubbio la attanagliava. Non lo voleva vedere il mondo grande, aveva paura che fosse davvero troppo minuscolo, un niente, una bazzecola da ridere. Meglio starsene a casa. Magari nella tana del lupo che, vista dall'alto, era davvero un puntolino microscopico. Ma per lei era il posto più grande del mondo.

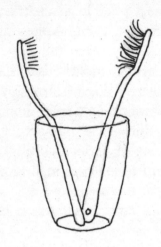

D opo tutto quel tempo di pane e salame, pesci alla griglia e tovaglie a quadri, all'anatra nacque una sottile inquietudine, che prendeva la forma di un doloroso quesito: il quesito dello spazzolino. Ovvero: perché il lupo non le aveva ancora chiesto di portare il suo spazzolino da denti nella tana?

La cosa più naturale del mondo sarebbe stata quella di trasferire il proprio spazzolino. Se uno trasferisce il proprio spazzolino nella casa di un altro, vuol dire che vive con lui. Abitare una casa infatti vuol dire che ci tieni, prima di tutto, lo spazzolino. La controprova è che se in una casa non c'è il tuo spazzolino, vuol dire che tu abiti da un'altra parte.

Quindi il quesito, tradotto, voleva dire: perché il lupo non le chiedeva di abitare la tana con lui? Se non glielo chiedeva, lei non poteva trasferire lo spazzolino. Perché non è che lo spazzolino tu te lo porti a destra e a manca così, come niente. Ci vuole una ragione.

Dunque l'anatra era molto triste. Le succedeva di guardare fissamente il suo infelice spazzolino da denti, con pena e tenerezza. A volte le succedeva addirittura di parlargli:

«Non so cosa dirti, non so cosa fare. Tu sei un bravo spazzolino, ti meriteresti una buona tana sul mare... Ma sai, dobbiamo avere tanta pazienza, i lupi sono lupi e forse anche i loro spazzolini sono solitari...»

Questi monologhi allo spazzolino diventavano ogni giorno più frequenti, e dentro di sé, senza dirlo nemmeno al suo spazzolino, l'anatra si chiedeva: cosa diavolo aspetta questo lupo?

Il lupo, veramente, non aspettava un bel nulla. Lui aveva deciso di sposare quell'anatra da sempre, fin da quel mattino sotto i portici quando l'aveva incontrata in monopattino e le aveva offerto il caffè da «Abraham», era chiaro. Cioè, non era chiarissimo; diciamo che era un pensiero molto inconscio. Infatti poi, d'accordo, se l'era lasciata scappare, ma questo non gli impediva di pensare, inconsciamente ma con assoluta certezza, che lui nella vita quell'anatra se la sarebbe sposata eccome.

I lupi sono strani animali. Hanno certezze inconsce folgoranti e granitiche. Così folgoranti e granitiche,

che poi non si curano di renderle reali. Il lupo era inconsciamente certo che avrebbe sposato l'anatra, quindi che bisogno c'era di adoperarsi perché la cosa avvenisse realmente? Nella sua bacata testa lupile, la cosa era come se fosse già avvenuta.

Quindi, non è che il lupo non volesse chiederle di sposarlo. Lo voleva eccome. Solo che, essendo un lupo, si era inconsciamente dimenticato di chiederglielo.

Se lo ricordò di colpo una notte che c'era il vento.

C'era un vento così forte che entrava nella tana e stava per portarsi via le cose, soprattutto quelle più leggere, tipo i fogli di carta, i tovagliolini a quadri e la collezione di farfalle.

Il lupo si aggirava di stanza in stanza, a controllare che non mancasse niente. Fu allora, in quel preciso istante ventoso, che si accorse che mancava sì qualcosa: l'anatra.

Ebbe un pensiero irrazionale: temette che il vento gliel'avesse portata via. In fondo, era un esserino così piumato e leggero...

Poi si ricordò che era impossibile, per il semplice fatto che l'anatra non viveva lì con lui nella tana e quindi, se non c'era, era solo perché non c'era mai stata.

La trovò una cosa inconcepibile e insopportabile, e cercò subito di porvi rimedio. Andò di filato a casa dell'anatra, nella sua piccola casa arroccata sulla collina vista mare. La trovò nel suo letto di piume, addormentata. La scosse violentemente e le disse che doveva all'istante andare a vivere nella sua tana perché lui... perché lei...

« Perché...? » gli chiese, ancora assonnata e con le piume per aria.

« Mi sposi? »

In genere non si risponde a una domanda con un'altra domanda, ma dobbiamo dire che in quell'occasione l'anatra non ci prestò molto caso. Fece un salto nel letto e poi un altro. Saltò sul letto per tutta la notte, cosa che il lupo interpretò come un sì.

E mentre saltava, pensava a un sacco di cose ingarbugliate tra loro: quanti pesci alla griglia si sarebbero pappati nella vita, con quali ninnoli addobbare la tana, se mettere o no le tendine alle finestre e quanti infiniti cuccioli avrebbero avuto, naturalmente misti: un po' anatrupi e un po' lupatre.

Quella notte stabilirono la data e il luogo delle nozze: domenica, davanti al mare.

Per prima cosa, l'anatra portò nella tana lo spazzolino da denti. Lo preparò per bene, lavandogli ogni singolo pelo e profumandolo lievemente con un'essenza al gelsomino. Indi lo adagiò su un cuscinetto di bambagia e solennemente gli fece varcare la soglia della tana del lupo. Infine, lo depose con estrema delicatezza nel bicchiere sopra il lavabo, accanto allo spazzolino, più ispido, del lupo. E gli sussurrò:

« Vedrai, diventerete amici! »

Si sentiva veramente soddisfatta, come se avesse messo al suo posto l'ultimo pezzo di un puzzle.

Per seconda cosa, l'anatra si mise a scrivere i bigliettini d'invito. Le era venuta un'idea: di invitare tutti quelli che aveva conosciuto e di recapitare di persona gli inviti, con un piccolo volo di servizio; pensava di mettersi i biglietti nel becco e, a uno a uno, farli cadere esattamente sul domicilio dei suoi invitati.

Il lupo era molto preoccupato. Va bene sposare quella stupenda anatra-nessuno, ma non voleva certo rinunciare del tutto alla sua solitudine di Lupo Solitario, ne aveva bisogno come l'aria e paventava quel matrimonio che gli si stava profilando come pericolosamente affollato. Si vedeva, per esempio, frotte di anatri multipiumati volteggiargli nell'aria davanti, occupando il suo mondo con svolazzamenti e starnazzamenti anatreschi; ed eserciti di chissà quali altri animali, pelosi o piumati, galoppanti o volanti.

Ma l'anatra partì un mattino con un fascio di bigliettini colorati nel becco, sussurrandogli nel grosso orecchio peloso:

«Non ti preoccupare, farò in un attimo.»

E in effetti tornò dopo qualche minuto, molto soddisfatta di sé: aveva lanciato gli inviti a tutti quelli che voleva. Entrò nella tana, si lavò i denti con il suo felice spazzolino, poi si mise comoda sulla spiaggia a chiacchierare un po' con le canne da pesca: il lupo ormai non parlava più con loro, e lei temeva potessero sentirsi un po' sole, così abbandonate accanto al cesto dei pesci.

Si sposarono una domenica di vento.
Piazzarono una specie di pedana sulla cima della collina più alta, a strapiombo sull'acqua, in modo che davanti avevano solo lui, il mare da lontano.

Arrivarono tantissimi invitati, circa duecentotrenta. Ma il lupo non vedeva nessuno intorno a sé:

« E dove sono? » chiese.

In effetti non si vedeva proprio nessuno perché, di tutti quelli che l'anatra aveva invitato, erano venute solo le talpe. E le talpe, come si sa, non si vedono. Ci avevano messo un po' ad arrivare, perché non era facile allungare tutte quelle gallerie fino al mare, ma ce l'avevano fatta.

Gli altri in realtà non erano potuti venire per varie ragioni.

George Castor, per esempio, era a Oxford a studiare Filosofia: pensava dal mattino alla sera e nulla poteva distrarlo dai suoi pensieri.

Pipi Strel, non si sa perché, non si trovava da nessuna parte: sembrava sparito nel nulla.

Lucertolo Lucio era diventato un grande ortopedico e aveva fondato un Centro Traumatologico per il Ripristino Code; aveva trovato il sistema di riattaccare chirurgicamente le code spezzate ai lucertoli, in modo da eliminare le lunghe attese e l'enorme angoscia della ricrescita naturale. Un vero trionfo: il suo Centro aveva ormai una fama internazionale e lui era preso da un gran daffare. Ultimamente si era dato alla ricerca sulle staminali di lucertolo adulto, non poteva certo muoversi per andare a un matrimonio. Mandò però un delizioso biglietto verde lucertola, con gli auguri più cari.

I suoi genitori adottivi, madame Gru e il signor Cotter, non vennero al matrimonio perché erano quasi svenuti dopo aver letto sul bigliettino che lei sposava un lupo.

« Un lupo vero? » chiedeva desolata madame, non sapendo come dirlo alle amiche.

« Ma... non è idoneo! » aveva sentenziato il signor Cotter, con le voci di enciclopedia tutte attorcigliate alle sue rosee piume da fenicottero rosa.

In quanto a Franco Fondac... beh, non si invitano i vecchi fidanzati al proprio matrimonio, figuriamoci i vecchi fidanzati traditori!

Così c'erano solo talpe.

Duecentotrenta talpe per l'esattezza, che erano arrivate da ogni parte scavando gallerie su gallerie e che ora assistevano, invisibili, alla cerimonia. Lei aveva sperato fino all'ultimo che, almeno al suo matrimonio, avrebbero mostrato il capino fuori dalla terra, ma niente. Erano talpe, non c'era nulla da fare.

Così il deserto rimase deserto. In realtà era un deserto affollatissimo, ma come provarlo? Ci sono cose nascoste che restano nascoste. È il cosiddetto mondo sotterraneo, e tu hai un bel dire che esiste: sono pochissimi che ci credono, direi soltanto le talpe. Eppure era pieno di segnali di presenza lì intorno: tutto un correre di gallerie circolari, come tanti trenini di terra smossa che, a forma di chiocciola, circondavano i due sposi; e ovunque si sentivano aleggiare nell'aria solenni canti nuziali.

Chissà dove imparano i canti nuziali, le talpe...

Stavano per iniziare la cerimonia, quand'ecco che, di colpo, arrivò qualcuno di inaspettato. Lo videro in alto nel cielo, un puntolino minuscolo ma molto, molto giallo, che sembrava sbracciarsi con l'ala proprio nella loro direzione. Non si capiva assolutamente che cosa fosse, non pareva un pennuto vero e proprio, perché di penne nemmeno l'ombra, però era così giallo. Mah... che sia un parente lontano della mia novella sposa?, pensò il lupo.

Lei invece lo sapeva benissimo chi era. Fece finta di niente, ma dentro di sé scoppiava di gioia: era Pipi! Pipi ce l'aveva fatta! E ora le stava dicendo, con l'alfabeto muto lassù in mezzo al cielo, che la piuma gialla che lei un giorno gli aveva regalato aveva funzionato.

Funzionato come?, gli chiese lei, sempre a gesti. Ma Pipi se ne stava già volando via, diceva che era solo di passaggio, le faceva tanti auguri ma non poteva fermarsi: ora che era giallo, doveva volare fino in Africa...

«Che animale è?» le chiese il lupo, che non ci capiva niente di tutti quegli sbracciamenti d'ali.

«Un pipistrello, non vedi?» rispose lei senza esitazione. Ma dentro di sé aveva una paura: che Pipi fosse diventato... un pipistrello che si credeva un'anatra.

Il lupo rimase a guardare in alto nel cielo. C'erano nuvole rosate, qualche riga bianca di aeroplano e quell'esserino che volteggiava per aria come un ossesso, felice di chissà che cosa.

Lo prese come un segnale di buon auspicio e non si fece domande più che tanto. Non era il caso: chi sposa un'anatra in monopattino se lo deve aspettare che i pipistrelli, qualche volta, siano gialli.

I due sposi erano in piedi sulla pedana, affiancati. Lui in abito grigio, lei in abito giallo con un cappello di piume: sembravano proprio un lupo e un'anatra.

Gli invitati invece, essendo talpe, non si sapeva come fossero vestiti.

Fu a quel punto che i due sposi si accorsero che mancava qualcosa. Qualcosa di veramente fondamentale, così fondamentale che non se ne poteva far senza. Accidenti, avevano pensato a tutto, tranne a... chi celebrava il matrimonio!

Per sposarsi ci voleva un prete.

E adesso, come trovarlo in quel deserto?

I deserti non sono città, e dunque non hanno piazze. Non essendoci piazze, non ci sono chiese. E non essendoci chiese, non ci sono preti. I deserti non se ne fanno niente dei preti, hanno solo bisogno di vento, che sposti ogni tanto le dune e cambi un po' il panorama. Ma il vento non officia matrimoni. Come fare?

L'anatra si lasciò cadere a terra, buttò via il suo stupendo cappellino di piume e si mise a piangere. Le sue lacrime inondarono il deserto circostante e penetrarono nel mondo delle talpe: le loro gallerie, di colpo, furono invase dall'acqua.

Le talpe si preoccuparono, un po' per l'inondazione che rischiava di sommergerle, un po' per il dolore della loro amica. Così, presero una decisione.

All'improvviso, una delle gallerie gonfiò, gonfiò fino a che ci fu una specie di scoppio sotterraneo, la terra si squarciò e apparve...

« Che cos'è? » chiese il lupo.

« Non so... » disse l'anatra.

Si videro davanti un essere non molto grande, peloso e color marrone scuro. Aveva un musetto triangolare e gli occhi chiusi, e portava una strana tunica bianca con una specie di lunga sciarpona di stoffa ricamata e luccicante che gli scendeva ai lati fino ai piedi. Piedi... diciamo zampette che terminavano in unghioni enormi pieni di terra. Sul capo portava una buffa papalina dorata e con le zampe anteriori stava innalzando verso il cielo un calice d'oro, proprio come fa un prete durante la messa.

« Che animale sei? » chiesero in coro i due sposi.

« Una talpa prete... ete! » rispose la talpa prete.

Le talpe avevano ceduto. Per affetto verso la loro amica, per risolverle il problema del prete, avevano deciso che una di loro si mostrasse. Era il loro regalo di nozze.

L'anatra non le toglieva gli occhi di dosso. Finalmente, miracolo, vedeva com'era fatta una talpa, e la trovava bellissima. Una talpa vestita da prete, poi... Trovava molto commovente che una di loro si fosse addirittura vestita da prete per venirle in aiuto...

Ma qui era in errore: quella talpa precisò che lei era davvero un prete, aveva fatto il seminario e da giovane aveva preso gli ordini ed era diventata parroco.

Tutte le talpe in coro, da sottoterra, dicevano di sì, che era proprio così.

Siccome il lupo e l'anatra se ne stavano sbacaliti dallo stupore, la talpa prete volle raccontare qualcosina del loro mondo sotterraneo, perché sapeva che, col fatto che si tratta di un mondo invisibile, la gente ne sa ben poco del mondo delle talpe: ad esempio tutti credono che le talpe non facciano altro che scavare gallerie con gli unghioni, e invece proprio per niente. Raccontò che lì sotto fanno un sacco di cose: giocano a carte, si cuciono i vestiti, vanno a scuola, fanno le feste all'oratorio, le gare di corsa a ostacoli, ascoltano la musica rock, vanno a passeggio la domenica. Insomma, spiegò che il loro è un mondo semplice e ordinato, dove tutti fanno il loro mestiere meglio che possono, cercano di avere molto tempo libero, non si danno tante arie e non guardano la tivù...

« Anche perché non la vedrebbero... Ah ah! bella

battuta...» aggiunse la talpa prete, mettendosi a ridere tutta da sola.

L'anatra e il lupo erano senza parole. Chi l'avrebbe mai detto che l'unico mondo che non si vede, il mondo più nascosto di tutti, era il migliore dei mondi possibili?

Ma il tempo passava e la sera stava per arrivare: ancora un po' e sarebbe stato buio, le tenebre avrebbero inghiottito il mare e il vento avrebbe portato il freddo della notte. Bisognava sbrigarsi.

La talpa preparò il piccolo altare che si era portata dietro per l'occasione con tanto di fiori, incenso e candele, e celebrò il matrimonio. Il lupo e l'anatra si scambiarono gli anelli e furono marito e moglie.

Mentre la talpa recitava le ultime formule di rito, i due sposi guardavano estasiati il mare che avevano proprio davanti, grande, azzurro: sembrava che fosse lui a sposarli. Lo raccontarono anche ai tanti figli che ebbero, un po' lupatre e un po' anatrupi, e ancora ai nipotini, per tutti gli anni della loro lunga vita: ma lo sapete, dicevano, che ci ha sposati il mare?

Sulla talpa prete invece non dissero mai niente, lasciarono cadere nel nulla. Forse perché è difficile dire: ci ha sposati una talpa... Ci sono cose che la gente non crederebbe mai.

Smontarono l'altare, tolsero la pedana, deposero i fiori sul prato, e ringraziarono la talpa prete, che se ne tornò sottoterra, nel suo sottomondo perfetto, a fare il parroco.

Il lupo entrò nella tana perché, in tutto quel trambusto, s'era dimenticato di farsi il fagotto per il viaggio di nozze; e lei andò a sedersi un po' sulla spiaggia. Le era venuta una strana felicità, fatta anche di malinconia, e se ne stava a guardare il mare, l'incessante va e vieni dell'onda, quel suo continuo portarti acqua e riprendersela e riportartela. Le sembrò di capire, in un attimo, che tutto passa e niente in verità mai passa, i fidanzati, le mamme, le nuvole... Ne passano tante di nuvole nel cielo, soprattutto sul mare quando fa sera. Sembra che abbiano una gran fretta e debbano andare chissà dove.

Ne stava passando una in quel momento proprio sopra di lei, una nuvola molto speciale, bassa, enorme, più grigia delle altre e con una forma strana. Lei la osservò con grande attenzione e le sembrò che le venisse incontro e che avesse la forma... di una pantofola di pelo! Con il muso da topo, le orecchie grandi, i baffi... Mia madre!, pensò immediatamente. La guardò meglio, ma non aveva nessun dubbio che quella nuvola fosse sua madre: era venuta a trovarla, ma certo, proprio nel giorno del suo matrimonio.

Il lupo la raggiunse sulla spiaggia e la trovò lì seduta, immobile con gli occhi per aria:

«Cosa fai, guardi le nuvole che passano?» le chiese. E si mise anche lui seduto, a guardare.

Ma non si vedeva più niente perché tutte le nuvole erano passate, e il cielo diventava colore della notte.

Indice

Finito di stampare
nel mese di marzo 2006
per conto della Ugo Guanda S.p.A.
dalla Mondadori Printing S.p.A.
Stabilimento N.S.M. - Cles (TN)
Printed in Italy